Padres inteligentes

ıt

ȷentes

Lo que los mejores padres saben, dicen y hacen

Producciones Educación Aplicada
Desarrollo y Bienestar Familiar

Produccciones Educación Aplicada S. de R.L. de C.V.

Sargent, Emma
Padres inteligentes : lo que los mejores padres saben, dicen y hacen / Emma Sargent ; tr. Gerardo de la Torre. -- México : Producciones Educación Aplicada, 2011.
184 p. : il. ; 20 cm. -- (Serie Desarrollo y Bienestar familiar)
Traducción de: Brilliant parent
Incluye índice
ISBN 978-607-95359-4-0

1. Padres e hijos. 2. Crianza de niños. 3. Niños – Dirección.
I. De la Torre, Gerardo, tr. II. t. III. Ser.

649.1024-scdd20 Biblioteca Nacional de México

Primera edición, septiembre de 2011.
Primera reimpresión, noviembre de 2011.
Editor: Vidal Schmill
Cuidado de la edición: Margarita Sologuren
Traducido del inglés por Gerardo de la Torre
Diseño de portada: Ana Paula Dávila
Formación: Zuemmy A. Antón Romero

Título original en inglés: Brilliant Parent. What the Best Parents Know, Do and Say

Miguel Ángel de Quevedo 50-303, Col. Ex Hacienda de Guadalupe Chimalistac. México, D.F. 01050
Tel. +52 (55) 5543 0108 y +52 (55) 5543 0112
www.escuelaparapadres.com

ISBN 978-607-95359-4-0

Impreso en los talleres de Impresos y Maquilas Santa Bárbara, Toluca, Estado de México.

IMPRESO EN MÉXICO

Contenido

Introducción

Para mí, ser madre es el trabajo más difícil que he tenido. A veces es maravilloso, entretenido y alegre; en ocasiones es frustrante, monótono y agotador. También es algo que agradezco mucho. De mis hijos, en sus jóvenes vidas, he aprendido grandes cosas, entre ellas mucho sobre mí misma, parte de lo cual hubiera preferido no aprender.

Mi experiencia, y la de mis amigos, dice que nuestros niños parecen estar en esta tierra específicamente para ponernos a prueba de todas las maneras posibles; oprimen cada botón y nos proporcionan una montaña rusa emocional a la que trepamos cada día. Esto nos hace sentir frustrados y cansados, como si la paternidad fuera la tarea más ingrata.

Por otro lado, también existen momentos en que todo marcha bien, nos sentimos perfectamente, nuestros hijos están en sintonía con nosotros y nos sentimos capaces de inflamarnos de amor y orgullo.

Luego vienen nuestras esperanzas y temores. ¿Les irá bien? ¿Sacarán el máximo partido de sus vidas? ¿Serán felices? A muchos de nosotros nos preocupa en qué medida esto responderá a nuestra manera de criarlos.

El hecho es que sólo podemos ofrecer nuestro mejor esfuerzo, pues no somos perfectos. Me gusta pensar que todos estamos en permanente proceso de ser, y en ese proceso aprendemos constantemente, nos hacemos preguntas y nos esforzamos en ser mejores. Eso es lo que importa. En ocasiones nos las arreglamos para hacer un gran trabajo y no siempre lo logramos. Habrá veces en que lo hagamos bien y otras en que no lo hagamos bien.

Ser un padre inteligente no consiste en ser perfecto. Se trata de ir más allá de las cosas que nos hacen buenos padres: amor, apoyo, educación.

Se trata de pensar un poco más en grande y en un nivel diferente, más allá de los cuidados básicos.

Se trata de saber cómo piensan los hijos y cómo puedes controlar mejor su comportamiento, y también el tuyo. Se trata de las cosas que puedes enseñarles sin que se den cuenta de que lo estás haciendo: por ejemplo, a pensar por sí mismos, a desarrollar la responsabilidad personal, a ser conscientes de sí mismos y conscientes de los demás. En general, se trata de ayudarles a aprovechar al máximo lo que tienen y, en última instancia, de ayudarles a vivir su mejor vida.

Ser un padre inteligente implica un nivel de comprensión de tus hijos que te ayude a ayudarlos de una manera que nunca hubieras imaginado.

Recientemente conocí a una mujer llamada Lindsay. Tiene una hija de diecisiete años, Corinne. Cuando tenía cerca de trece años, Corinne comenzó a vomitar y a sentirse físicamente enferma antes de ir a la escuela. Ocurría, en promedio, tres de los cinco días de la semana de clases. Esto se prolongó CUATRO años, durante los cuales Corinne dejó de desayunar en un intento por detener la enfermedad. Imaginen lo que sucedía a su concentración en esa importante etapa de la vida.

Un par de meses atrás Lindsay la llevaba al colegio y Corinne le pidió que detuviera el auto para vomitar. Cuando la chica volvió al auto, Lindsay le dijo: "Corinne, esto tiene que acabar". "Lo sé, mamá. Hay un consejero en el colegio, iré a verlo". Al consejero le bastó un par de sesiones para averiguar que lo que enfermaba a Corinne era la preocupación por llevar los libros adecuados a las lecciones del día. ¿Cómo empezó? Cuando su maestra le gritó frente a sus condiscípulos porque ese día Corinne no llevaba los libros indicados.

Cuando le hice notar que era increíble que el problema hubiese perdurado durante cuatro años enteros a pesar de los cambios de profesores e incluso del cambio a otro centro escolar, Lindsay estuvo de acuerdo. Dijo que la lastimaba el hecho de no haber sido capaz de ayudar a su hija. "Nada de lo que le dije funcionó".

Le señalé a Lindsay que por lo general lo que funciona no es lo que DECIMOS sino lo que PREGUNTAMOS. Lindsay me miró como si le hubiera golpeado la cabeza con una pala. "Dios mío, tienes razón. No sabía yo cómo averiguarlo".

En este libro te mostraré cómo pensar y hacer preguntas de manera que puedas desentrañar lo que está pasando en la mente de tus hijos y te halles en mejores condiciones para ayudarlos a que se ayuden a sí mismos.

También te compartiré estrategias sencillas y te mostraré cómo enseñar a tus hijos a pensar de una manera que les ayude a superar los obstáculos de cada día, tales como no querer hacer la tarea, reñir con los amigos o preocuparse por algo como los exámenes.

Esto les ayudará también a conocer y obtener más de lo que esperan de la vida. La mayoría de las personas se hacen adultas antes de que tengan conciencia de qué es lo importante para ellas, qué los motiva, cómo crean sus éxitos y cómo se limitan. ¿No sería grandioso para todos los niños adquirir el beneficio de esos conocimientos mucho más temprano?

He aquí un ejemplo de la naturaleza poderosa de la conciencia de sí mismo, incluso cuando se tienen siete años. Mi hijo Thomas se frustra muy fácilmente si no entiende algo de inmediato. Un día en particular tenía un problema de lógica muy simple que se le atascó. Era uno de esos problemas que propones a la familia porque crees que proporcionará entretenimiento. Y en un momento deseas no haberlo hecho. Tan pronto como Thomas se atascó, vi aparecer su frustración, lo que significaba que el juego había terminado en relación con su capacidad de pensar con claridad y creativamente. El resto de la familia trató de explicarle, pero por supuesto él no estaba de humor para oír o entender nada. Le dije suavemente: "Cuando me siento frustrada y no puedo entender algo, es como si tuviera frente a los ojos una oscura niebla gris que me impide pensar. ¿Eso te pasa a ti?"

Thomas: Mi niebla no es gris, es roja.

Yo: Muy bien, roja.

Usé un tono de gente interesada, en parte porque estaba de verdad interesada y en parte porque quería animarlo a

que me dijera más. Repetir sus palabras ayuda, porque se siente escuchado.

Thomas: Sí. Y es como una cortina que se cierra.

Yo: Vaya. Cuando entiendo, cuando puedo pensar con claridad, en mi cabeza hay un brillo, digamos de color blanco. ¿Cuál es el tuyo?

Thomas: Verde brillante. Y también hay luces. Cuando empiezo a comprender, veo una luz verde a través de la cortina roja.

Te pido paciencia, lector. Sé que esto suena muy extraño.

Thomas tiene ahora una conciencia de la comprensión frente a la ausencia de comprensión.

La comprensión es verde y la falta de comprensión es roja. Esta toma de conciencia, por sí sola, significa que "la falta de comprensión" nunca más conducirá a un nivel muy alto de frustración. A tres años de esa conversación inicial, si Thomas no entiende algo que le trato de explicar, dice "ah, sí, ahora veo una especie de naranja verdoso", y los dos sabemos que está en camino de la comprensión.

Ser un padre inteligente significa ser capaz de incrementar en tus hijos la conciencia de sí mismos a fin de que aumenten su nivel de elección en la forma en que interactúan con los demás y vivan sus vidas con tanto éxito como lo quieran.

Si deseamos ser padres inteligentes, tendremos que haber pasado algún tiempo tomando conciencia de nuestros aciertos y defectos, de manera que verdaderamente podamos dar lo mejor de nosotros mismos en los preciosos años que pasemos ayudando a forjar el futuro de nuestros hijos.

Así, aunque este libro es sobre todo para tus hijos, también es para ti.

CAPÍTULO 1

¿Qué significa ser un padre inteligente?

Ser un Padre Inteligente no quiere decir ser un Padre Perfecto. Somos humanos. Eso significa que somos diferentes, que manejamos las cosas de manera distinta y sí, cometemos errores. Hay muchas formas de ser un padre inteligente.

Estás en camino de ser un PI si estás dispuesto a dar lo mejor de ti mismo a tus hijos, si estás dispuesto a aprender de otros padres, si no tienes miedo de aprender de tus hijos. Si ya eres capaz de aprender de ti mismo, de tu comportamiento y de las reacciones de los demás, te estás convirtiendo en un PI. Si te has reprochado el haber manejado una situación de manera inadecuada y has decidido hacerlo mejor la próxima vez, estás en el camino correcto.

Lo que saben, hacen y dicen los padres inteligentes

Reconocerás aquí algunas cosas que ya haces y otras en las que debes reflexionar para mejorarlas o cambiarlas.

En los capítulos que siguen me extenderé sobre las cualidades y habilidades más importantes y te daré métodos probados y efectivos que podrás incorporar a la crianza de tus hijos. Es decir, aprenderás fácilmente a saber, hacer y decir lo que los padres inteligentes saben, hacen y dicen.

Lo que saben los padres inteligentes:

- Qué clase de padres se esfuerzan en ser
- Qué es lo importante para ellos
- Qué aceptarán y qué no aceptarán de sus hijos
- Que son un modelo para sus hijos lo quieran o no
- Que todos somos diferentes y nuestros hijos no son "mini yos"

Examinemos cada uno de estos puntos.

1. Los padres inteligentes poseen una fuerte concepción de la clase de padres que quieren ser. Saben lo que intentan y se esfuerzan en conseguirlo.

   Todos tenemos idea de lo que hace un padre inteligente. Puedes basar el estilo de crianza de tus hijos en el de tus padres, o puedes hacer exactamente lo contrario. Quizá cuando eras joven observaste a los padres de otras personas y pensaste: "Así quiero ser cuando tenga hijos". Lo más probable es que resultes una mezcla de todas estas cosas.

   Sea cual sea tu concepto de padre inteligente, puede ser que quieras empezar a desarrollarlo ahora mismo.
2. Los padres inteligentes saben lo que es importante para ellos.

   En otras palabras, tienen en torno a la crianza un conjunto de valores fuertes e irrenunciables.

   ¿Qué son los valores? Son las reglas inconscientes, no escritas, que guían nuestras vidas.

   Sustentan nuestro comportamiento y nos dicen si lo que pensamos es correcto o incorrecto. No reflexionamos sobre los valores a menudo, pero resulta increíblemente útil conocerlos, porque así podremos ser más conscientes de si vivimos a la altura de tales valores o no. "Hazlo como lo digo, no como lo hago", es un ejemplo de que no vives de acuerdo con tus valores.
3. Los padres inteligentes tienen muy claro qué comportamiento aceptarán o no aceptarán de sus hijos.

   A nuestro comportamiento lo guían los valores, por lo cual es un fiel reflejo de ellos. No hace mucho tiempo estaba de moda dejar que un hijo fuese un espíritu libre y hallara sus propios límites. Ahora sabemos que ese enfoque puede acarrear muchos problemas a los niños. Contar con límites fuertes en el hogar, permite a los niños ponerse a prueba y conocer su lugar en el mundo.

Es muy probable que en esta área entres en conflicto con tus hijos. Necesitas estar preparado para explicarles por qué no les permites hacer cosas que se les permiten a otros niños, y viceversa.

4. Los padres inteligentes saben que son modelos para sus hijos. Esto no quiere decir que el padre tenga que ser perfecto, pero es importante saber que los hijos están aprendiendo de los padres, de las madres y de cualquier otro adulto importante en su vida de jóvenes. De modo que por eso debes comportarte de acuerdo con tus valores y ser consecuente con ellos.
5. Los padres inteligentes saben también que todos somos diferentes; que todos pensamos de manera diferente y nos comunicamos de manera diversa. Los padres inteligentes hacen todo lo posible para comprender y conocer a sus hijos. Entender cómo piensa y cómo crea su propio mundo interno un hijo, es una de las principales piezas que conforman el rompecabezas que es un padre inteligente.

   Nuestros niños no son miniversiones de nosotros. Y por mucho que busquemos partes de nosotros en nuestros hijos, nos abrimos a un mundo totalmente nuevo cuando empezamos a notar en qué se diferencian y celebramos ese hecho. Es muy importante permitir a nuestros hijos que sean ellos mismos y vivan sus sueños, no los nuestros.

Lo que hacen los padres inteligentes

- Pensar en los posibles resultados antes de ofrecer soluciones
- Observarlo todo
- Escuchar intensamente
- Comportarse de acuerdo con sus valores
- Mostrar coherencia en la forma en que tratan a sus hijos y a los demás
- Manejar con eficacia sus emociones

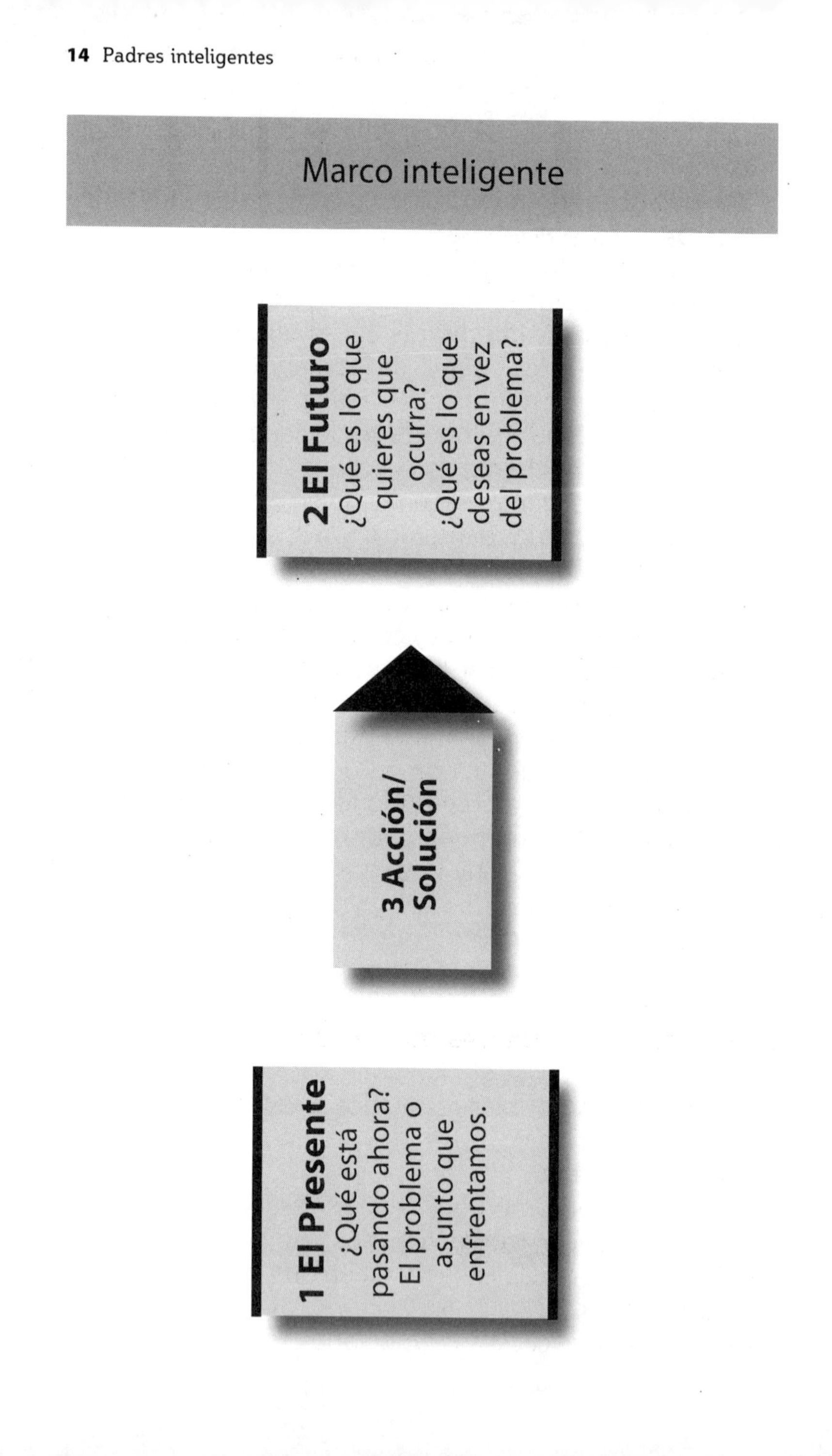
Marco inteligente
1 El Presente
¿Qué está pasando ahora? El problema o asunto que enfrentamos.
3 Acción/ Solución
2 El Futuro
¿Qué es lo que quieres que ocurra? ¿Qué es lo que deseas en vez del problema?

1. Los padres inteligentes tienen una manera de pensar en las diversas situaciones que explicaremos con ayuda del diagrama anterior.

Se trata de una manera de pensar muy simple y a la vez poderosa.

La secuencia **Presente - Futuro - Acción** puede parecer obvia. ¿Verdad que tiene sentido definir cuál es la situación actual, qué deseamos en su lugar y decidir qué medidas tomar? Lo extraordinario es que rara vez actuamos de esta manera.

Por ejemplo, ¿en alguna ocasión en que hayas enfrentado un problema lo discutiste con un amigo? Le mencionaste el problema y comenzó a ofrecer soluciones, porque los amigos se preocupan por ti y no quieren que tengas problemas. Se centran en la manera de **sacarte del problema**.

Piensas en las soluciones que te sugieren, pero ninguna parece encajar. Luego te escuchas explicando por qué tales soluciones no funcionarán o diciendo sin gran entusiasmo, porque no quieres ofenderlos, que las probarás.

¿Por qué lo haces? Porque no estás seguro de lo que quieres.

Cuando tenemos un problema nos resulta difícil concentrarnos en lo que queremos en vez del problema que tenemos en el presente. Sabemos que no deseamos el problema, pero no sabemos qué queremos que suceda en su lugar.

Lo más útil que cualquiera puede hacer cuando tienes un problema, es ayudarte a trabajar en lo que realmente quieres. Una vez que lo sepas, es muy probable que también sepas qué medidas vas a tomar.

En esencia se trata de un proceso sencillo, y es su sencillez lo que hace que resulte fácil usarlo una vez que te lo apropias.

Una vez que uno se acostumbra a pensar de esa manera y enseña a sus niños a pensar así, les ha proporcionado una habilidad que les ayudará a tener éxito en sus vidas.

2. Los padres inteligentes observan todo.

Es la habilidad de "los ojos en la parte posterior de la cabeza", ¡por la cual algunos padres son bien conocidos!

Una de las habilidades más importantes de un padre inteligente consiste en ayudar a sus hijos a ser conscientes de sí mismos, a saber qué saben hacer bien, a conocer el impacto de su comportamiento en los otros, a saber qué talentos poseen y qué los hace ser lo que son.

Para hacer a una persona consciente de lo que está haciendo, lo primero es que los hayas percibido. Necesitas ser bueno para darte cuenta de cómo alguien hace algo, escuchar verdaderamente lo que dicen y lo que no dicen.

¿Le has preguntado a alguno que sea muy bueno en algo "¿cómo lo haces?", sólo para encontrarte con la respuesta, "no sé, simplemente lo hago"? Esto se debe a que esa persona es capaz por naturaleza y nunca ha tenido que pensar conscientemente en lo que hace.

Lo mismo ocurre con nuestros hijos. Cuando somos lo suficientemente buenos para darnos cuenta de ciertas pequeñas cosas en la conducta de nuestros hijos, podemos ayudarles a ser conscientes de cómo hacen las cosas bien, cómo piensan, cómo pueden crear sus propios problemas, cómo aprenden y cómo pueden aprovechar al máximo sus cualidades. Es apasionante ser capaz de ayudar a un niño a desbloquear algunos de sus procesos inconscientes para impulsarlo hacia el éxito. El Capítulo 4 te ayudará a descubrir los secretos del mundo interior de tu hijo.

3. Los padres inteligentes escuchan inteligentemente.

Debemos ser capaces de escuchar verdaderamente. Escuchar no sólo lo que alguien dice, sino también **cómo** lo dice. Imagina lo útil que sería darte cuenta de que tus hijos usan un lenguaje que los limita.

Y no se trata sólo de darse cuenta, sino de ser capaz de ayudarlos a comprender que sus procesos de pensamiento pueden impedir que obtengan lo que quieren. Si quieres ser un escucha inteligente, el Capítulo 5 te servirá.

4. Los padres inteligentes se comportan de acuerdo con sus valores.

Si la **honestidad** es de veras importante para ti, tienes que ser honesto con tus hijos. (Pero recuerda que hay veces en que ser absolutamente honesto no es la mejor política.)

Si la **persistencia** es una cualidad importante para ti, sé persistente cuando quieras lograr algo.

Si quieres que tus hijos aprendan a **valerse por sí mismos**, asegúrate de valerte por ti mismo.

Si no te gusta **lidiar con los conflictos** del día a día, la pregunta es: ¿cómo vas a enseñar a tus hijos la importancia de enfrentar los conflictos de una manera positiva?

No siempre es fácil apegarse a los principios personales.

5. Los padres inteligentes mantienen un comportamiento uniforme en la relación con sus hijos y su pareja (si la hay).

Parece sencillo, pero prácticamente todos mis conocidos tienen que esforzarse para perseverar en su comportamiento.

La semana pasada prohibí a mi hijo ver cierto programa de televisión, como castigo por su mal comportamiento, pero él no creyó que yo mantendría la prohibición. Después de todo, yo también deseaba ver el programa.

Le pregunté a mi hija: "¿No me creyó, verdad?". Y ella repuso: "Sin afán de ofenderte, mamá, pero es que a veces te rindes". Y tenía razón, a veces claudico. Y lo hago porque deseo que la pasen bien y los adoro y bla bla bla. Pero no es correcto amenazar a alguien y luego ceder. Ni siquiera unas cuantas veces.

¿Por qué? Porque, como lo mostré claramente, no te creerán y te perderán el respeto.

6. Los padres inteligentes saben controlar sus emociones.

He dedicado el Capítulo 3 al manejo de las emociones. En él encontrarán algunas estrategias de probada eficacia para el control de las emociones.

Lo que dicen los padres inteligentes:

- Comunican con eficacia.
- Dan información de regreso (feedback: retroalimentación) honesta, realista y amable.
- Usan un lenguaje positivo para generar confianza y obtener resultados.
- Hacen preguntas con mayor frecuencia que dar consejos.

1. Los padres inteligentes son grandes comunicadores.

Entienden que la comunicación es el fundamento de todo lo que hacemos y enseñan a sus hijos a ser buenos comunicadores tanto en lo que afirman como en lo que preguntan.

2. Los padres inteligentes dan muy buena información de regreso o retroalimentación.

Nuestros hijos requieren información de regreso honesta y realista en cuanto a su comportamiento.

Si les proporcionamos esa información, serán conscientes de su comportamiento y eso les permitirá descubrir sus opciones. Si no son conscientes de su comportamiento, no estarán en posibilidad de modificarlo.

De nada les sirve que les digamos que todo lo que hacen es brillante. La retroalimentación de otras personas no siempre será positiva y los muchachos necesitan sentirse seguros de lo que piensan de sí mismos. Una línea muy fina separa la confianza en uno mismo del autoengaño.

Deseamos que nuestros hijos sean felices y confíen en sus vidas, desarrollen sus genuinos talentos y sean ellos mismos. Por lo tanto debemos darles información que

Una línea muy fina separa la confianza en uno mismo del autoengaño.

los capacite para aprovechar sus puntos fuertes y ofrecerles la posibilidad de que cambien lo que no les resulte útil.

3. Los padres inteligentes usan un lenguaje que contribuye a crear autoestima y a lograr resultados.

Cuando los padres inteligentes hablan a sus hijos:

- piensan en términos de los efectos o las consecuencias del mensaje
- piensan en términos de lo que desean que suceda como resultado de lo que dicen
- piensan en el impacto que sus palabras tendrán en la mente y en el comportamiento de sus hijos

El Capítulo 6 es rico en ejemplos y estrategias que te permitirán usar un lenguaje sencillo y poderoso en beneficio del desarrollo de tus hijos.

4. Los padres inteligentes formulan preguntas inteligentes.

La habilidad para hacer buenas preguntas es una herramienta increíblemente poderosa. Y es imprescindible para comprender a los hijos y su manera de pensar.

Me hubiera gustado que en la escuela me hubiesen enseñado a formular preguntas, en vez de dejar ese punto al azar. A veces, una pregunta cuidadosamente escogida puede lograr que desaparezca un problema. Las preguntas pueden ser la clave para ayudar a alguien a reflexionar en un problema, a pensar en lo que desea y a ayudarle a obtener un resultado.

Ayudar a los hijos a que aprendan a formular preguntas, es enseñarles a interesarse, a crear sus opiniones y aprender efectivamente.

No hay límite en los beneficios de ser capaz de formular buenas preguntas, y en el Capítulo 5 te proporcionaré los sistemas y habilidades que requieres para ser un interrogador inteligente.

CAPÍTULO 2

Comenzando por ti

Si quieres ser un padre inteligente, lo primero es conocer tus fuerzas y tus debilidades. Es un paso importante para que calcules el impacto que puedes tener en los demás. Recuerda, ser un padre inteligente no quiere decir ser perfecto. Significa prepararse para ser honesto con uno mismo y emprender un esfuerzo a fin de ser la mejor madre o el mejor padre posibles.

También necesitas una imagen clara del padre que deseas ser y de los valores que quieres que posean tus hijos cuando sean adultos. Para tus hijos eres el modelo más importante desde que nacen. Los niños son como esponjas cuando se trata de aprender. Y aprenden por imitación.

A veces nos preguntamos de dónde salieron los rasgos de carácter de nuestros hijos y tal pregunta es acogida con cejas alzadas y sonrisas irónicas por nuestros amigos y compañeros de trabajo.

¿Cuán a menudo uno de nuestros hijos ha dicho algo que nos sorprende, y al cabo nos damos cuenta de que nos está citando? Hace poco oí la historia de un muchacho (hoy un cincuentón) que a la edad de cinco años ingresó a un hospital para que le extirparan las amígdalas. Era un hospital atendido por monjas que lo trataban muy bien. Imaginen la sorpresa de las monjas cuando, a la pregunta "¿Qué quieres tomar?", respondió: "Creo que voy a tomar un jerez". Directamente de los labios de su madre.

Hay pruebas suficientes que indican que todo lo que sucede en casa tiene un gran impacto en el desarrollo de un niño. En casa nuestros hijos no están aprendiendo a hacer cosas, están aprendiendo maneras de ser en el mundo.

En casa nuestros hijos no están aprendiendo a hacer cosas, están aprendiendo maneras de ser en el mundo.

Están formando sus opiniones, elaborando lo que es importante para nosotros y para ellos, la forma de insertarse en la sociedad, la forma de interactuar con sus amigos, qué significa formar parte de una familia y mucho más. Debemos ser conscientes de los mensajes que reciben de nosotros de manera explícita e implícita, y de las creencias acerca de sí mismos y de su mundo que, en consecuencia, están adoptando.

Tomemos como ejemplo a los padres que hablan negativamente de sus niños al alcance de los oídos de ellos, como si a los niños los afectara sólo lo que se les dice directamente. Estoy segura de que la mayoría de la gente ha oído una conversación así:

Debra: Emily es preciosa.

La madre de Emily: Así parece, ¿verdad? Pero en casa es terrible. No como su hermano a esa edad: él era un ángel.

¿Qué mensaje recibe Emily acerca de sí misma, su madre, su hermano y su relación con ellos dos? Si Emily recibe este mensaje suficientes veces —y en ciertos momentos de una vida joven basta una vez—, comenzará a concordar con el papel que le asignó su madre y continuará demostrando que ésta tenía razón.

Vale la pena mencionar también el papel que desempeña cada padre como modelo a largo plazo para sus hijos. ¿Qué tipo de pareja van a buscar tus hijos cuando sean adultos? ¿Qué aprenden contigo acerca de las relaciones? ¿Están aprendiendo a respetarse unos a otros o aprenden que está bien hablar mal de los demás? ¿Qué aprende tu hijo de su padre y qué aprende tu hija de su madre? ¿Qué aprende tu hija de su padre y que aprende tu hijo de su madre?

La enorme inversión emocional en nuestros hijos a veces impide que seamos buenos modelos. Parece injusto que mis hijos se comporten impecablemente con otras personas y peleen y discutan conmigo. Aunque entiendo que lo mismo sucede en todos los hogares (hasta donde sé), eso me frustra y me molesta. ¿Por qué la persona que los ama e invierte tanto en ellos recibe lo peor de su comportamiento? En esos momentos me resulta muy difícil mantener la calma y, francamente, ser adulta. Soy consciente de que conmigo están poniendo a prueba los límites porque se saben a salvo, pero en esos momentos no lo acepto.

Día a día hay cosas que se interponen. Podemos estar muy ocupados o cansados y eso nos pone irascibles. Podemos estar preocupados por algo y los niños pensarán que nos preocupan ellos. Los niños no responden bien a la ansiedad de un padre: la ansiedad los hace sentirse inestables.

Una de las cosas que nos impiden ser modelos consistentes es la incapacidad para manejar nuestro estado. Si nos sentimos frustrados o enojados podemos comportarnos de una manera que no es útil ni a nosotros ni a nuestros hijos. El siguiente capítulo está dedicado al manejo de nuestras emociones.

Tenemos que luchar por la coherencia, aunque a veces nos parezca una batalla cuesta arriba. Los niños necesitan regularidad en sus vidas para sentirse a salvo y emocionalmente seguros. El mundo es ya un lugar muy amenazador sin necesidad de que añadamos temores en casa.

Para empezar hay que asumir lo que comúnmente somos como padres, lo bueno y lo malo; después debemos decidir qué clase de padres deseamos ser y centrarnos en ese objetivo y mantenerlo.

Tu hoy: hacerse consciente

¿Recuerdas cómo piensan los padres inteligentes? (diagrama pp. 14)

Para empezar, lo mejor, siempre, es pensar cómo son las cosas ahora. Necesitas saber lo que haces ahora para que puedas hacer más de lo que te gusta y menos de lo que no te gusta. Tener conciencia de uno mismo es el primer paso para ser un mejor padre. Todos tenemos una idea de lo que hacemos y decimos, pero rara vez nos damos tiempo para

Los niños necesitan regularidad en sus vidas para sentirse a salvo y emocionalmente seguros. El mundo es ya un lugar muy amenazador sin necesidad de que añadamos temores en casa.

pensar en eso y en cómo puede afectar el futuro de nuestros hijos.

Tener conciencia de uno mismo es el primer paso para ser un mejor padre.

Una amiga mía suele andar siempre de prisa porque generalmente se le hace tarde. Corre por todas partes con sus niños corriendo detrás de ella y trata de no decaer mientras grita: "¡De prisa, de prisa, se nos hizo tarde otra vez!". Sólo hasta que tuvimos una conversación sobre cómo los niños se ven afectados por nuestra conducta, se dio cuenta de que era algo que ella hacía casi todo el tiempo. Tampoco había considerado los mensajes negativos que sus dos hijos recibían.

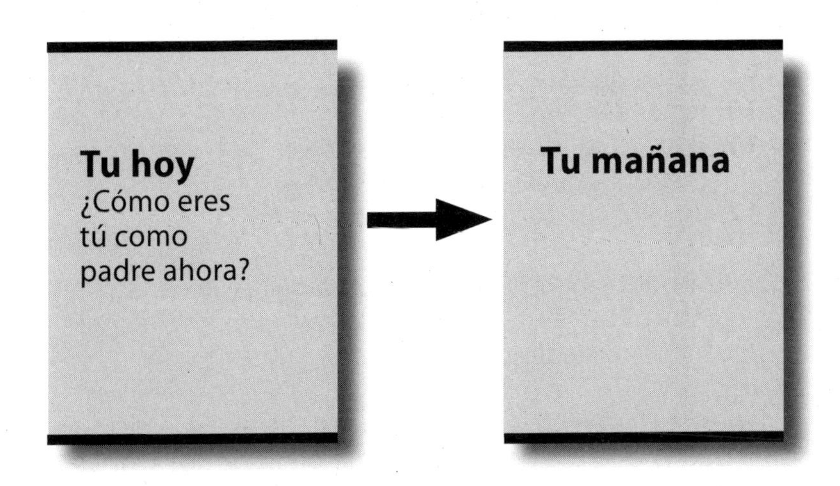

Ejercicio

Tómate unos minutos para pensar en ti mismo. He aquí algunas preguntas que pueden guiar tu pensamiento. Anota abajo las respuestas para que podamos examinarlas más tarde.

1 ¿Qué es lo que para ti importa en la vida? ¿Cuál es la importancia de ser padre?

2. ¿Qué comportamiento, positivo o negativo, ves en tus hijos que puedas afirmar que lo han aprendido directamente de ti?
3. ¿Para qué eres bueno y qué se te facilita?
   (Tienes que estar preparado. Le pregunté a mi hija para qué era yo buena cuando ella tenía cuatro años, y después de meditarlo largamente su respuesta fue: "Para enojarte." Eso me dio buena información.)
4. ¿Para qué eres menos bueno y qué se te dificulta?
5. ¿Cuáles de tus cualidades esperas transmitirle a tus hijos?
6. ¿Qué características tuyas preferirías no transmitirle a tus hijos?
7. ¿Qué te entusiasma o te apasiona?
8. Si eres un padre que trabaja, ¿cómo equilibras el trabajo y el hogar?
9. ¿Qué te gusta de ser un padre?
10. ¿Qué te disgusta?
11. ¿Qué cosa haces que deseas dejar de hacer o hacer menos?
12. ¿Qué haces que quisieras hacer más?

Quizá nunca habías pensado en algunas de estas preguntas.
¿Qué aprendiste de ti mismo?

Pídele a tu pareja, si la tienes, que haga este ejercicio. Es una buena manera de darse cuenta de acuerdos y discrepancias entre ustedes y da pie a una discusión en torno a las áreas que desean cambiar juntos.

Ahora, pasemos a lo que queremos – **Tu mañana**.

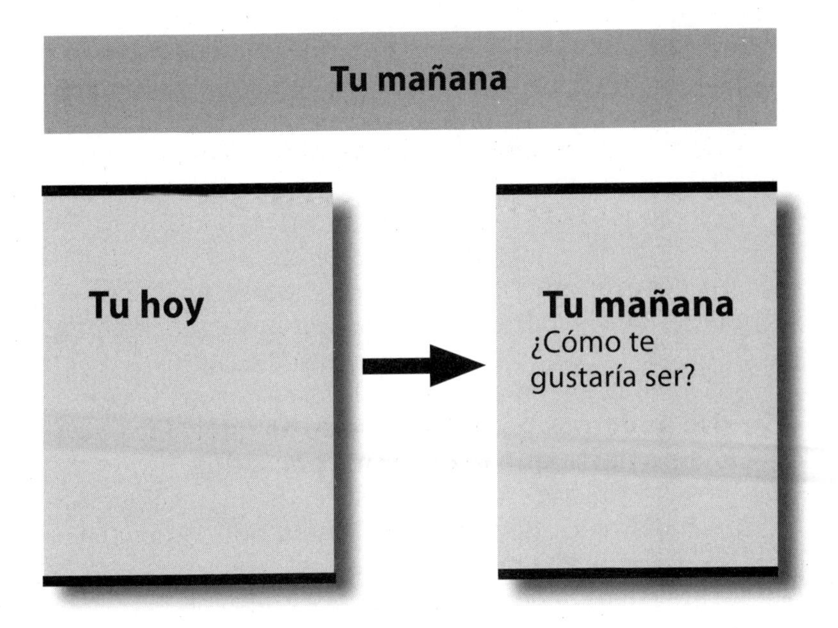

¿Cómo podemos conseguir lo que queremos?

Las personas que regularmente consiguen lo que quieren en sus vidas, practican una estrategia semejante.

En primer lugar, reflexionan sobre lo que quieren y lo que no quieren.

En segundo lugar, actúan mentalmente como si ya hubiesen logrado algo.

En tercer lugar, piensan en las consecuencias positivas y negativas que, de hacer algo, se acarrearán a sí mismos y acarrearán a quienes les rodean.

En cuarto lugar, se aseguran de que puedan actuar por sí mismos sin que nadie más sea responsable de sus acciones.

Veamos cada uno de estos puntos.

1 Esas personas piensan en **lo que** quieren, **no** en lo que **no** quieren.

Nuestras mentes no pueden imaginar el "no". El "no" sólo tiene lugar en el lenguaje, no en nuestros pensamientos. Así que si nos decimos que no debemos hacer algo, estamos instruyendo a nuestra mente a pensar en aquello que no queremos.

Piensa por un minuto en los siguientes enunciados:

"Hoy no debo comer pastel".

"No quiero perder la paciencia con mis hijos".

"Debo tener cuidado de no resbalar".

Al leer estos enunciados, ¿qué imágenes te vienen a la mente? Comer pastel, tener una disputa y probablemente resbalar. Cualquier cosa que imagines actuará como una instrucción para hacerlo dirigida al inconsciente.

¡No podemos pensar en lo que no queremos pensar sino hasta que lo hayamos pensado!

Resulta mucho más eficaz darse las instrucciones siguientes como alternativa a los enunciados anteriores:

"Hoy comeré alimentos saludables."

"Hoy estaré tranquila y seré positiva con mis hijos".

"Caminaré con cuidado".

Con estos enunciados imaginarás lo que deseas, en vez de lo que no deseas.

Tómate un momento para pensar si piensas en lo que quieres que suceda o en lo que no quieres que suceda. Hay una gran diferencia.

Tómate un momento para pensar si piensas en lo que quieres que suceda o en lo que no quieres que suceda. Hay una gran diferencia.

2 Esas personas mentalmente asumen que han logrado lo que quieren.

Descubrimos a un niño que tiene una estrategia eficaz para jugar carreras. Se imagina que cruza la línea final y que ya ha ganado la carrera. En otras palabras, mentalmente asume que ha conseguido lo que quiere. Cuanto más sensorialmente rico es el ensayo, más probable es que obtengas ese resultado.

Pregúntate a ti mismo: ¿cómo podría saber si he obtenido el resultado? ¿Qué vería, oiría y sentiría? Muhammad

Alí fue excelente en estos ensayos mentales. Imaginaba que era ya el futuro, luchaba con su próximo rival y repasaba la pelea en su mente una y otra vez. Para describir este proceso acuñó la frase: "crear la historia futura".

3 Esas personas piensan en las consecuencias positivas y negativas de lo que hacen, tanto en relación con ellas mismas como con su entorno social.

En otras palabras, ¿están haciendo lo que concuerda con lo que son y con lo que es importante para ellas? Se adelantan aún más en el futuro y se preguntan: "¿Qué pasará si consigo lo que quiero? ¿Perderé lo que tengo ahora? ¿Cómo afectará a los demás? ¿Valdrá la pena?".

Tales consecuencias desempeñan un papel muy importante en nuestros estímulos para alcanzar el objetivo. Si las consecuencias no nos convencen, no nos sentimos motivados para actuar. Si pensamos en todas las consecuencias —en este caso las de convertirse en un padre inteligente—, estaremos motivados para entrar en acción y realizar los cambios necesarios.

Las consecuencias de ser padres inteligentes son de largo alcance, duran mucho más que la vida.

4 Aquellas personas se aseguran de tomar medidas por sí mismas, pues ninguna otra persona es responsable de sus acciones.

Nosotros sólo somos responsables de nuestro propio comportamiento. No podemos establecer un resultado para otra persona, que por tanto deba comportarse de determinada manera, y esperar que eso suceda.

Tenemos que mirar primero por nosotros mismos. ¿Qué podemos hacer de manera diferente de modo que sea muy probable que otra persona se comporte de manera diferente con nosotros?

Hay muchos padres que desean que sus hijos consigan cosas concretas y gran parte de su energía la dilapidan buscando resultados para sus hijos.

Esperan que sus hijos vayan a la universidad, sean médicos, abogados, contadores. Mi madre solía decir a la gente que yo sería contador y eso fue una gran fuente de molestias para mí. Alguna vez me fue bien en matemáticas y eso, con los años, se transformó en contabilidad en la mente de mi madre. Cualquiera que me conozca (especialmente mi contador) sabe que habría sido una pésima contadora.

Como sea, el punto es que proyectar los deseos propios en la vida de los hijos puede causar gran cantidad de fricciones en la familia. Los niños pueden sentirse presionados para complacer a sus padres y cumplir sus deseos, pero lo resentirán más tarde. O bien, muy temprano se rebelarán contra los deseos de los padres y los padres se decepcionarán. De cualquier manera, desear algo para alguien más no es útil y rara vez funciona.

Como padres, por supuesto que abrigamos esperanzas y sueños en relación con nuestros hijos. Lo que podemos hacer es ayudarles a descubrir quiénes son y qué quieren, y apoyarlos y guiarlos. Así podremos desempeñar un papel positivo al ayudarles a crear la vida que deseen. Tendrán que estimularse y empujar en ciertas direcciones y siempre debemos preguntarnos para quién los animamos, para ellos o para nosotros. ¿Es mi sueño o el de ellos? ¿Estoy animándolos porque pueden ser realmente buenos en esto y simplemente no lo saben aún, o los animo porque quiero que sean buenos en eso para complacerme?

Pregunta inteligente
Pregúntate por qué quieres algo: ¿para tus hijos o para ti?

Es una línea muy fina y un camino difícil de recorrer. Recuerdo haber visto a un conocido actor entrevistado por Michael Parkinson[1] en su programa de televisión. Su madre había muerto poco antes y él y sus tres hermanos, igualmente talentosos y célebres, habían estado muy cerca de ella. De manera espontánea, el actor dijo que lo que había hecho de ella una madre maravillosa era que siempre les

[1] Locutor inglés, periodista y autor. Condujo durante 25 años un reconocido programa de entrevistas y fue nombrado Commander of the Order del Imperio Británico.

permitió ser ellos mismos y los apoyó y alentó para que persiguieran sus sueños. Me impresionó mucho. Pensé que si mis hijos decían eso de mí, significaría que yo había hecho un buen trabajo.

¿Cuál es una buena manera de pensar en lo que queremos? La forma más fácil de pensarlo es fingiendo que nos hallamos en el futuro y ya hemos actuado o estamos actuando. En el siguiente ejercicio imagina que eres tu versión de un padre inteligente, la que quieras.

Si es posible, busca un lugar tranquilo donde te puedas concentrar y soñar despierto. Para hacerlo tómate unos veinte minutos.

Ejercicio – Tu mañana

Es el momento de imaginar que ya eres el padre que quieres ser. Estás interactuando con tus hijos en la forma que lo deseas.

Te comportas de acuerdo con tus valores y controlas tus emociones de la manera que lo deseas. Eres ya el modelo que quieres ser.

Haz una lista de los estados emocionales positivos y de las cualidades y habilidades que deseas tener como uno de los padres. Para guiarte utiliza la lista del último ejercicio. No te reprimas, haz una lista tan larga como la desees.

Dedica unos minutos a pensar sobre cada uno de los elementos de tu lista y decide qué elegir cuando estés demostrando cierta cualidad, o comportándote de alguna manera o percibiendo tal emoción. Si, por ejemplo, la paciencia se halla en tu lista, piensa un poco en cómo te comportarías siendo paciente, imagínate comportándote con paciencia en una situación. Y sigue haciéndolo hasta que hayas pensado en cada una de las cualidades.

Que tus imágenes sean vívidas: tienes que verte como quieres ser, tienes que escucharte y escuchar a quienes te rodean y sentir cómo es eso.

Cuando piensas en tu futuro, ¿qué emociones se te presentan?

Supongo que emociones positivas. Y cuanto más tiempo pasas en ese estado emocional positivo, más probabilidades tienes de hacer y decir las cosas que deseas para tus hijos.

Demos un paso más hacia el futuro con el siguiente ejercicio:

Ejercicio - Las consecuencias de "Tu mañana"

Imagina que han pasado 10, 15 o 20 años a partir de ahora y tus hijos han abandonado el hogar y tienen quizá sus propios hijos. Un día escuchas por casualidad una conversación entre uno de tus hijos adultos y un amigo suyo. Hablan de ti. En concreto, hablan de cómo eras como padre y cómo los ayudaste al criarlos.

Así que estás en el futuro escuchando esa conversación acerca de ti.

Anota lo que digan de ti. Las cualidades que admiraban en ti cuando crecían, el trato que les dabas, las cosas en las que creías, los mensajes que les enviabas acerca de sí mismos y que los ayudaron a ser las personas que son.

De esta forma has pensado en lo que eres hoy, en lo que quieres ser y en las consecuencias —para ti y para tus hijos— de que hagas los cambios.

Por un momento compara "tu hoy" con "tu mañana". ¿Cuáles son las principales diferencias? Puede haber pequeñas diferencias o puede haber grandes diferencias.

¿Cuáles son las cosas que quieres cambiar?

Realizando los cambios

¿Cómo ir de donde estamos a donde queremos estar?

Ya has dado el primer paso al establecer un futuro "tú" en el cual centrarte. Como ahora ese "tú" está en tu conciencia, es más probable que ocurra. ¿Por qué? Porque en tu mente ya has ensayado ser el mejor padre que puedes ser.

Prueba el siguiente ejercicio para mantener la concentración en tu futuro. Funciona muy bien como ejercicio general para ayudarnos a ser lo mejor que podamos y como un buen recordatorio de la persona que aspiramos a ser.

Ejercicio

Busca un lugar tranquilo donde nadie te moleste. El ejercicio te tomará de 10 a 15 minutos.

Imagina que tienes enfrente una enorme pelota de playa transparente, lo suficientemente grande para que camines dentro.

Luego imagina que pones dentro de la pelota todas las cualidades, habilidades y emociones que anotaste en "Tu mañana". Proyéctalas en la bola y llénala con ellas.

- A continuación, camina dentro de la pelota imaginaria, siente cómo todas esas cualidades te bañan, inhálalas. Pasea en la imaginaria pelota de playa durante unos minutos. Observa cómo te sientes durante el paseo. ¿Qué te resulta diferente?
- Puedes darte el gusto de hacer este ejercicio de vez en cuando para mantenerlo fresco agregando o cambiando cosas a tu gusto.

No sólo es muy buen ejercicio para mantenerte concentrado en tus metas, puede ayudar también a que te sientas más capaz de manejar situaciones difíciles.

Cada vez que, con tus hijos, te encuentres en una situación que pueda parecerte difícil, imagina que entras a la pelota.

Consejos inteligentes

- Recuerda que todos somos "procesos en marcha" y siempre estamos aprendiendo
- Vuelve a ver el ejercicio "Tu hoy" y date cuenta de los cambios efectuados
- Dedica unos segundos cada mañana a recordar "Tu mañana"
- Utiliza el ejercicio de pelota de playa para concentrarte en tu ser del futuro

CAPÍTULO 3

Cómo ponerse en la situación correcta

Los padres inteligentes manejan sus emociones con eficacia.

En mi experiencia de maternidad, lo que principalmente se interpone entre cómo soy ahora y mi versión de la madre que quiero ser, es la facilidad con que pierdo la calma. Estoy convencida de que mis hijos saben exactamente qué me irrita ¡y hacen eso a propósito! Posiblemente te has dado cuenta de que tus hijos te ponen a prueba todo el tiempo, sin que importen su edad o su cansancio. Comienzan con rabietas cuando son pequeños y avanza a distintos tipos de comportamiento hasta que se van de casa (y puede no parar allí). Nos ponen a prueba porque necesitan saber en qué pueden salirse con la suya y en qué no. Tienen que conocer los límites de la conducta y ponen a prueba sus padres, porque lo más seguro para ellos es probar su comportamiento ante alguien que los ama sin condiciones.

A resultas de ser puestas a prueba de este modo, personas que nunca habían tenido disputas en su vida y que a toda costa evitaban los conflictos, encontraron que tras convertirse en padres comenzaron a gritar como un sargento mayor en el campo de entrenamiento. A veces respondemos de una manera que nos sorprende. Antes de convertirme en madre no hubiera podido imaginar que de vez en cuando me enojara tanto como ahora lo hago.

Una de las razones por las que reaccionamos así es el poderoso apego emocional que les tenemos a nuestros hijos. Es mucho más difícil tomar distancia y pensar de forma racional cuando nos vemos envueltos en un altercado con alguien a quien apreciamos tanto.

Perder la calma o reaccionar ante nuestros hijos de una manera negativa, sin control, no los beneficia. Aprender a controlar tu estado emocional cuando tus hijos o las situaciones pulsan el botón rojo, te resultará de gran utilidad.

Los padres presentan reacciones emocionales no deseadas causadas por los niños al hacer todo tipo de cosas: rabietas, menosprecio, negarse a hacer lo que pides, pelear con los hermanos, portarse mal, no hacer la tarea, retrasar el momento de levantarse para ir la escuela, dejar su ropa en el piso. Tales reacciones *emocionales* nos llevan a hacer o decir cosas que, en momentos *racionales*, sabemos que no van a resolver el problema a largo plazo. Reaccionamos ante el momento y eso no permite el pensamiento racional.

Por supuesto, esto comenzará a crear más problemas. Por ejemplo, si les gritas a tus hijos porque no te escuchan, se acostumbran a eso y sólo reaccionan cuando gritas; no te escuchan cuando hablas en un volumen normal. Esto probablemente te frustrará más. Para más, los niños no sólo reaccionan ante ti, sino que aprenden de ti a cada momento y comenzarán a gritarse unos a otros a la menor provocación.

¿Cómo podemos llegar a un estado correcto?

Del mismo modo que te tomaste un tiempo para pensar cómo te comportas con tus hijos, examinemos en detalle los estados que adoptas y que sabes que no son útiles (en primer lugar, cómo fue que llegaste a ellos).

Para lograrlo, tienes que echarle un vistazo a tus respuestas a las preguntas formuladas en "Tu hoy", en las páginas 25 y 26. ¿Qué escribiste sobre lo que haces y deseas dejar de hacer o hacerlo con menor frecuencia?

Podría tratarse de gritar, como en el ejemplo anterior, o decir cosas que luego lamentas, o acabar en lágrimas o algo más.

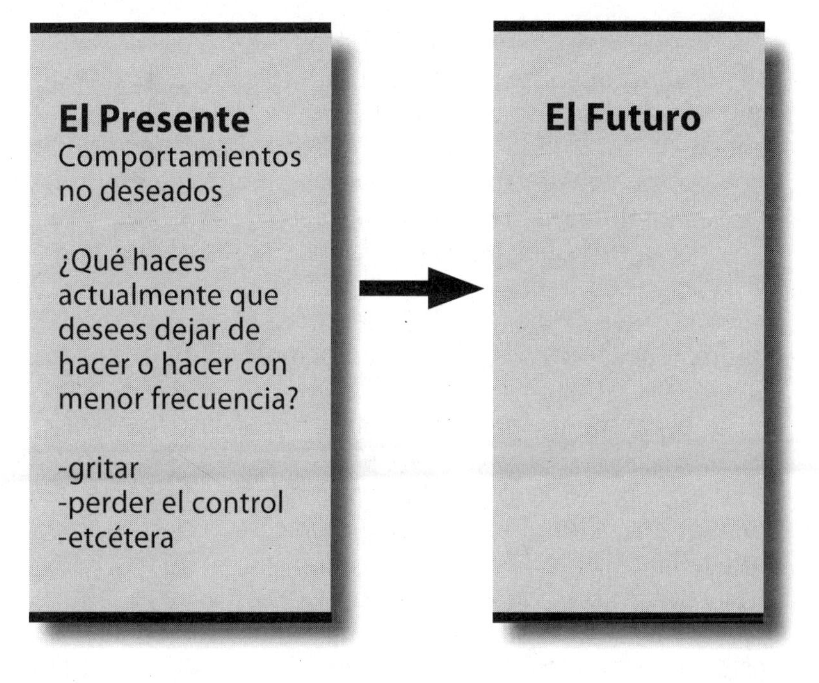

Piensa ahora en lo que sucede antes de que hagas esas cosas: mientras más consciente eres, más control tienes. Si eres consciente de las situaciones que te hacen comportarte de una manera que no te agrada, es posible evitar al menos algunas de esas situaciones.

El estado emocional afecta la conducta

De hecho, sería más exacto decir que nuestro comportamiento depende enteramente de nuestro estado emocional, es su resultado. Te mostraré cómo puedes cambiar tu estado emocional pensando diferente y cómo puedes enseñar a tus hijos a hacer lo mismo. Imagina lo útil que sería que pudieras ayudarles a sentir confianza y no ansiedad antes de un examen, por ejemplo.

Veamos primero cómo podemos llegar a un estado negativo.

Algo nos pone en marcha, un detonante.

El desencadenante puede ser una situación, algo que dicen o hacen, incluso un sonido. A veces el disparador desencadena un estado con tanta rapidez que parece pasar por alto cualquier proceso de pensamiento y la emoción se percibe fuera de nuestro control. En otras ocasiones el detonante nos hace pensar en ciertas cosas que a su vez nos hacen sentir de cierta manera.

Así, el orden de los acontecimientos es el siguiente: detonante, (pensamientos), estado emocional, comportamiento.

Por el momento prestemos atención al disparador y al estado.

En el ejemplo de los gritos a los niños, el detonante podría ser el que los niños no te hicieron caso, o cierta mirada que te lanzan.

El estado emocional desencadenado es la ira, que a su vez pone en marcha el comportamiento no deseado, en este caso los gritos.

Por otra parte, todos podemos pensar en ciertos momentos en que se encontraba uno tan de buen humor que incluso una rabieta no lo afectaba y probablemente hubiese respondido a la situación de una manera muy diferente. Como todo comportamiento supone consecuencias de algún tipo, obtendremos consecuencias distintas.

La pregunta es: ¿cómo romper el ciclo y mantener un estado emocional útil para ti y para tu relación con los niños? Si sientes furor, ¿cómo salir de él?

El primer paso consiste en descubrir qué desencadenó la ira (o cualquier estado emocional que pensemos). Los factores desencadenantes pueden ser muy personales y la respuesta no será la misma para todas las personas. La misma emoción puede ser desencadenada por cosas diferentes. Voy a poner un ejemplo.

Hablar en público es un miedo muy común. Lo que desencadena el miedo puede ser muy diverso. Para unos puede ser la invitación a hablar en público, para otros puede tratarse del ingreso al recinto ese día, y para algunos más puede ser la ropa que usarán ese día.

Recientemente, lo que sigue les ocurrió a un amigo y su hija.

La historia de Jemma

Jemma, de ocho años, y su madre, Susan, llegaron de la escuela una tarde —las hermanas de Jemma habían salido con unas amigas—. Susan deseaba estar con Jemma el poco tiempo que quedaba de la tarde, pues era raro que pasaran el tiempo juntas y a solas, y por lo general la pasaban muy bien. Jemma se sentía muy animada esa tarde, en un estado de ánimo positivo porque había pasado el día en una visita escolar a un museo y había sabido de Florence Nightingale, de quien pensó que era increíble.

Susan aprovechó la oportunidad para sugerirle que hiciera la tarea. ¡Y cuán rápido pueden cambiar las cosas! Fue el final del buen momento.

En primer lugar, Jemma de repente estaba molesta porque no había salido a jugar con una amiga. Entonces decidió no hacer la tarea. Susan, amable, intentó convencerla. Se armó de paciencia y siguió intentando persuadirla, pero cuanto más la ignoraba Jemma, mayor era la tensión que se acumulaba en Susan.

Susan empezó a contrariarse, reaccionó con furia, tal vez sin razón, y dejó la tarea de Jemma para esa noche.

El detonante fue que Jemma hizo caso omiso de ella, el estado era la frustración y el comportamiento consistió en obligar a Jemma a dejar la tarea para esa noche.

Por supuesto, Susan se dio cuenta inmediatamente de lo ridículo que era guardar la tarea de Jemma, pues había que hacerla.

La cosa continuó así: Jemma reaccionó inmediatamente contra ella y se puso a hacer el trabajo. Pero como también estaba muy contrariada, no leyó las instrucciones y durante los primeros cinco minutos respondió las preguntas de manera incorrecta. Esto fue seguido por una frustración idéntica. Jemma ignoró por completo las ofertas de ayuda. El primer episodio de cólera de Susan había sido provocado por el menosprecio de Jemma y ahora la ira de Susan se encendió de nuevo, una ira mezclada con frustración y dirigida sobre todo a sí misma por haber perdido los estribos con tanta facilidad. Qué catálogo de eventos por algo tan pequeño. Lo que para Susan resultó particularmente frustrante, fue que ella sabía que si hubiese respondido con paciencia y afabilidad al mal humor de Jemma, la tarde podría haber sido diferente.

En este ejemplo hay varias series de detonantes, estados y comportamientos. Los factores desencadenantes son muy claros. A veces no sabemos qué nos hace sentir de cierta manera. Siempre hay algo que nos pone en marcha, pero no siempre sabemos qué.

Por lo tanto, el primer paso para cambiar la conducta es tomar conciencia de las cosas que desencadenan los estados negativos.

Vayamos a la caza de algunos de tus factores desencadenantes. La forma más sencilla de hacerlo es empezar con la situación, luego pensar en el comportamiento no deseado y posteriormente trabajar hacia atrás para dar con el estado emocional y finalmente encontrar el detonante.

Cómo encontrar el detonante

1 SITUACIÓN

Tómate un momento para pensar en las situaciones que afrontas con tus hijos cuando pasas por estados de ánimo que no te gustan. Esos estados de ánimo más tarde te llevan a hacer cosas que no quisieras hacer nunca más.

¿Exactamente dónde estás? ¿Es de mañana antes de ir a clases, estás ayudando a hacer la tarea, saliendo de la casa de un amigo, en el coche camino a casa tras salir de la escuela, es a la hora de la comida o de dormir?

Haz una lista de todas las situaciones. Luego, a partir de una de ellas piensa cómo responderías a las siguientes preguntas.

2 ESTADO Y COMPORTAMIENTO

¿Qué sucede en esa situación particular? ¿Cuál es el estado al que arribas y qué conducta exhibes?

A veces es más fácil comenzar con el comportamiento y retroceder, como en el ejemplo siguiente.

Pam y Lucy

Pam tiene una hija de nueve años, Lucy. Todas las mañanas Pam batalla para que salgan de casa a tiempo para la escuela. Rara vez se les hace tarde, pero Pam termina agotada, ha pasado cuarenta minutos gritándole a Lucy que se apresure. Pam está harta de hacer esto todas las mañanas, se va a trabajar irritada y quiere comenzar el día mucho más positiva, para bien de todos.

Situación: Cada mañana, preparándose para ir a la escuela
Estado: [no sabemos]
Comportamiento: Le grita a su hija y como resultado se siente reventada.

En el ejemplo de Pam no sabemos en qué estado se hallaba justo antes de comenzar a gritar —o qué la ha llevado a ese estado—. Sabemos en qué estado se halla después: ¡agotada!

Ahora podemos preguntar a Pam en qué estado se encontraba antes de que comenzara a gritar.

¿Estaba enojada, frustrada, cansada u otra cosa?

Esto es lo que me dijo de la situación.

Su hija es tranquila y relajada. Pam es muy organizada y trabaja mucho. Cada mañana Pam pide a Lucy que se levante a cierta hora a fin de que esté lista para ir a la escuela. Cada mañana Lucy se levanta a la hora que quiere y se viste con lentitud. Pam piensa que van a llegar tarde y comienza a imaginar las consecuencias del retraso. No le gusta llegar tarde porque entonces su mente comienza a hacer que se sienta enojada, estresada y nerviosa. Y mientras más se agita, más le grita a Lucy, que todavía se viste a su paso y se las arregla para estar lista a tiempo para ir a la escuela.

Así que tenemos:
Situación: Cada mañana, preparándose para ir a la escuela
Estado: Enojada, estresada, agitada
Comportamiento: Le grita a su hija y eso la agota

¿Pero qué desencadenó en Pam ese estado de estrés y agitación?

Ver a Lucy preparándose a su ritmo y no al de Pam. E imaginar que iban a llegar tarde, como lo establecía el estado de Pam.

A la caza del detonante

Una pregunta que puede ayudarte a tomar conciencia de cómo se activan tus estados es la siguiente:

¿Qué es lo que ves o escuchas antes de sentirte así?

El detonante será algo que veas, por ejemplo el reloj, o cierta expresión de alguien, o algo que alguien esté haciendo, o un sonido que oigas —como una campana que suena—, o la tonalidad de una voz.

En el ejemplo, Pam vio a Lucy vestirse lentamente.

Si no puedes solucionar el hecho rápidamente, conserva la curiosidad y observa qué sucede la próxima vez que estés en esa situación.

He aquí otro ejemplo.

Es la hora de dormir de los niños. Les dices que suban a lavarse y se alisten para dormir. No lo hacen. Se los pides de nuevo, amable, y solicitan cinco minutos más. Aceptas, a condición de que en seguida suban. Ellos prometen hacerlo y siguen jugando. Pasan los cinco minutos y les dices que ha llegado el momento de subir, como lo prometieron. Piden otros cinco minutos y, cuando dices no, dan y vuelven a dar razones por las que debes dejar que se queden hasta más tarde. Tu paciencia llega a su límite, sientes enfado porque de nuevo han roto su promesa. Comienzas a gritarles y a continuación, como te hallas exaltada, los amenazas con todo tipo de sanciones: nada de televisión (¡para siempre!) y más. Apresuradamente los metes a la cama y ellos están molestos porque mantienes el enojo y te vas a dormir sin dar las buenas noches adecuadamente.

Desde luego, ellos no se dormirán fácilmente y tú acabarás preguntándote cómo podrías haber manejado esa situación.

Examinemos este ejemplo.
Situación: Hora de acostarse
Estado: Enojo
Comportamiento: Gritar, lo que conduce a otros comportamientos

¿Cuál fue el detonante?

La ruptura de la promesa por parte de los niños, que trataban de obtener más tiempo. Se había convertido en un disparador porque en este caso ocurría con frecuencia.

Ahora debes trabajar en las situaciones que identificaste, separando el detonante, el estado y la conducta resultante. Es posible que también quieras identificar las consecuencias de tu comportamiento como en los ejemplos.

He aquí algunas preguntas para guiar tu pensamiento:

¿Cuál es la situación que encuentras difícil?

¿Qué pasa?

¿Qué haces que no te gusta? (Comportamiento)

¿Cómo te sientes justo antes del comportamiento anterior? (Estado)

¿Qué es lo que ves o escuchas que te hace sentir de esa manera? (Detonante)

¿Qué notas en tus ejemplos? ¿Hay una conducta que se repite?

¿Cuáles son las diferencias? ¿Tiene muchos estados emocionales no deseados o sólo uno o dos que continúan apareciendo?

¿Qué has aprendido en cuanto a ti al pensar en ello de esta manera?

Otra razón para saber qué cosa en concreto desencadena los estados no deseados, es que resulta mucho más fácil cambiar la respuesta al detonante en esta fase, en el momento que sigue inmediatamente, que cuando nos sentimos fuera de control. El estado emocional es como hallarse en la cima de una montaña con un trineo. Cuando subes al trineo, puedes cambiar de idea y salir. Sin embargo, una vez que el trineo se halla en marcha estás en sus manos y sólo más tarde podrás recuperarte.

Imagina que alguien sufre un ataque de pánico cuando la persona con la que se reunirán no comparece a tiempo. El detonante se activa al mirar el reloj. Resultará mucho más eficaz cambiar el pensamiento de la persona cuando ve el reloj, que darle ejercicios de respiración cuando está en medio de un terrible ataque de pánico.

Échale una mirada a tus ejemplos y formula la pregunta:

Pregunta inteligente
¿Cuál es tu papel en la creación de las situaciones que te causan problemas?

Volvamos a Pam. Recuerda que Pam se puso muy nerviosa al ver a Lucy vestirse a su paso. Pam admite libremente que se siente frustrada porque Lucy hace las cosas a su manera y no a la manera de Pam. Pam crea su propio nerviosismo imaginando que Lucy hará que lleguen tarde si no le grita toda la mañana. ¿Sabe con seguridad que si deja que Lucy se las arregle sola llegarán tarde? La respuesta es no, no lo sabe a ciencia cierta.

¿Qué tenemos en el ejemplo antes de acostarse? ¿En qué medida la madre causa su propia ira al pensar que sus hijos (menores de siete años) mantendrán esta noche su promesa frente a la abrumadora evidencia de que intentarán obtener "unos minutos más" de tiempo para jugar? Sin duda lo intentarán. No sólo son jóvenes, sino que a veces se salen con la suya.

Puesto que hemos tenido situaciones difíciles, equilibremos un poco pensando en lo que sí funciona.

Hay muchas ocasiones, probablemente muchísimas, en que tienes ratos encantadores con tus hijos, todos la pasan de maravilla y no hay disputas.

También es útil saber de qué manera se dan las cosas cuando todo funciona como lo deseas, a fin de que puedas lograrlo a menudo.

Piensa en esos momentos y en esas situaciones y trabájalas de la misma manera. ¿Dónde estás? ¿Qué está pasando? ¿Cómo te sientes? ¿Cómo te comunicas con los niños? ¿Qué respuesta recibes? Y lo más importante: ¿de qué se trata la situación que hace que te halles en buen estado emocional y con muchos recursos? ¿Y qué ocurre en esas situaciones si uno de tus hijos hace algo que normalmente te ocasionaría un estado negativo?

Por ejemplo, a veces puedes recoger a los niños en la escuela o la guardería y, como tuviste un buen día, sus peleas pasan de largo y manejas las cosas de una manera totalmente diferente. ¿Qué etiqueta le pondrías a un estado así?

¿Qué estados experimentas actualmente en tu vida que te permiten comportarte con tus hijos de la manera que quieres?

Haz una lista de las situaciones, los estados y los comportamientos que en la actualidad te gustan y disfrutas. Para guiarte utiliza tus respuestas originales y no las limites a los momentos que pasas con los niños, usa también otros ejemplos.

Ejemplo:

Situación: Llevarlos de día de campo
Detonante: Verlos divertirse
Estado: Tranquilo, pacífico y feliz
Comportamiento: Les respondes en tono tranquilo, dices sí a sus peticiones y te diviertes con ellos de manera sencilla

Una vez más, ¿qué te llama la atención en estas respuestas? ¿Hay algún patrón? ¿Qué es similar o diferente en cuanto a los factores desencadenantes?

Ahora tienes una lista de situaciones, factores desencadenantes, estados y comportamientos que te resultan positivos o negativos. Si tuviéramos que ponerlos en un marco inteligente y sintetizarlos bajo ciertos encabezados, el marco se vería así.

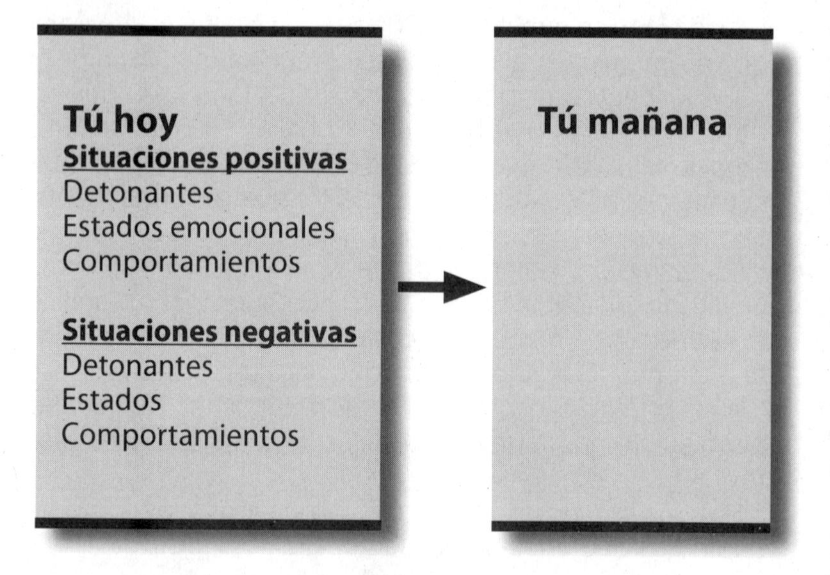

Y aquí un sencillo pero incompleto ejemplo de lo que podría escribirse en él:

Ejemplo

SITUACIONES POSITIVAS

Detonante: verlos jugar bien, planificar un día libre, oír hablar de algo que han aprendido en la escuela y los emociona, escuchar cierta música, correr.
Estados: tranquilo, juguetón, relajado, orgulloso, enérgico.
Comportamientos: sonriente y cooperativo, con disposición a escuchar y tomarse su tiempo, centrado.

SITUACIONES NEGATIVAS

Detonante: ser ignorados, los niños no cumplen sus promesas, una cierta mirada.
Estados: enojado, resentido, frustrado.
Comportamientos: gritos, cólera, falta de solidaridad con las tareas.

Seguramente estás pensando cómo crear más estados positivos y menos estados negativos utilizando esta información.

Estrategias inteligentes para hacer cambios

Ahora deseas ser más consciente de lo que haces, lo que en sí mismo significa que te centras más en lo que quieres y menos en lo que no quieres. Aquí tienes otras ideas:

1 Si es posible, evitar los factores detonantes que desencadenan estados negativos.
2 Si no, fíjate en tu participación para llegar a un estado negativo y haz algo diferente en el momento, por pequeño que sea.

3 Piensa en la manera de recrear situaciones que desencadenan estados positivos; formula a tus hijos más preguntas sobre lo que aprendieron en la escuela si eso desencadena un estado positivo en ti.
4 Practica entrar en estados positivos ante una situación o un momento que te resulte difícil. Escucha música alegre antes de acostar a los niños, piensa en tu lugar favorito en el mundo e imagina que estás ahí antes de la hora de ir a la escuela.
5 Realiza el ejercicio de la pelota transparente de playa (p. 33).

Es mucho más eficaz para cambiar tu estado que tratar de hacer algo diferente. Recuerda, el estado emocional afecta el comportamiento; así que si cambias de estado, cambiará tu comportamiento. ¿Hay en el capítulo otras ideas sobre cómo tú y tus hijos pueden cambiar de estado?

Por último, en este capítulo, antes de pasar a tus hijos, vamos a revisar "Tu mañana": lo que deseas. Tienes que ser muy específico sobre lo que quieres, sobre todo en lo relacionado contigo y con tus estados de ánimo y los comportamientos posteriores; es una manera muy efectiva de crear un cambio.

¿Recuerdas tu pelota de playa? Revisa de nuevo la lista de cualidades, habilidades y estados que tienes y que quieres tener para ser el padre que quieres ser.

Añade cosas que antes hayas olvidado.

Tu lista de la pelota de playa podría incluir:

Feliz
Tranquilo
Calmado
Juguetón
Amable
Comprensivo
De espíritu generoso

Paciente
Amoroso
Con sentido del humor
Curioso
Recto
Constante

Ahora imagina tu pelota de playa con tu futuro dentro. Disfruta de una buena sensación al verte con todas esas cualidades. Hazlo chispeante si quieres, por mera diversión; usa la imaginación y acumula cualidades.

¿Qué pasa si respondo emocionalmente?

De hecho, por mucho que nos esforcemos siempre habrá momentos en que reaccionemos emocionalmente en vez

La historia de Isabella

Isabella tiene seis años y la costumbre de perder el control de su temperamento cuando no puede tomar una decisión. Este día en especial, se trata de qué ponerse. Su familia iba a salir y su mamá le dio a escoger tres juegos de ropa. Su mamá había pensado que eso podría tener éxito, porque consideró que era importante dar opciones a los niños en las cosas pequeñas para que fueran aprendiendo a tomar decisiones. Isabella empezó a perder la paciencia por la ropa, no sabía cuál elegir y se puso en tal estado que los demás miembros de la familia perdieron la paciencia rápidamente. Cuando Isabella ingresa en tal estado le resulta difícil salir de él, se pone cada vez peor, se encierra en su habitación, les grita a sus padres si tratan de ayudarla y se niega a cooperar.

Como tal comportamiento le parece inaceptable, su madre se irrita rápidamente. En general Isabella se porta bien, pero tiene rachas de terquedad.

Sus padres han tenido cierto éxito en la reducción de la frecuencia de estas rabietas con constelaciones familiares y otras técnicas de comportamiento, pero su madre está harta de tratar con el problema y sostiene que Isabella es demasiado grande para esas rabietas. Se enoja tanto de llegar tarde a causa de Isabella, que amenaza con subirla al coche en ropa interior, luego le dice que se aparte de su vista hasta que se calme.

> Todo esto aumenta la rabieta de Isabella y la ira de su madre.
>
> En este punto de la historia la madre de Isabella perdió el control de sus respuestas y empezó a decir cosas de las que luego se arrepintió. Le dijo a Isabella que se alegraba de irse de viaje de negocios porque no tendría que verla y que hablaría con alguien para ver si podía acogerla durante el verano y así no pudiera ir de vacaciones con la familia y le dijo además que estaban hartos de ella.
>
> La mamá me dijo que en ese momento sabía que no debería decir esas cosas, pero estaba tan enojada que fue incapaz de detenerse.
>
> Su ira era una mezcla de exasperación, vergüenza de que su hija se estuviese comportando de tal manera e ira contra sí misma por manejar la situación tan mal. Dijo que la reacción hacia su hija fue como la de un niño.
>
> Por último, madre e hija salieron vestidas de la casa.

de responder racionalmente. Puede ser porque estemos cansados o preocupados, o porque nos han presionado en exceso ese día.

Las experiencias cargadas de emociones se guardan en forma de recuerdos en un estado emocional en bruto, a menos que seamos capaces de racionalizarlas y codificarlas en una forma más consciente. Eso está bien si la emoción es positiva y está mal si es negativa. Por esta razón, hablar de estas cosas nos ayuda a sentirnos menos emocionales, puesto que comenzamos a darle sentido a la experiencia. No es forzoso que la experiencia deje cicatrices emocionales, lo importante es cómo se trata o cómo no se trata.

Hace sólo cincuenta años se pensaba que el mejor curso de acción para un niño que había perdido a uno de los padres consistía en no incluirlo en ningún duelo. Sé de gente que a sus cincuenta años no se le dio siquiera una explicación y fue abandonada a su suerte mientras los adultos discutían el funeral en voz baja. Algunos creían genuinamente que los niños no comprendían la muerte y por lo tanto era mejor no decirles nada. Para los que hoy son adultos, la experiencia de vivir con la pérdida sigue siendo muy cruda.

Hoy este enfoque es impensable, pues es precisamente el proceso de entendimiento —darle sentido a un evento— lo que permite a los niños moverse a través de una experiencia y seguir con su vidas. En nuestros días, es probable que los niños que sufren una pérdida obtengan apoyo y asesoramiento que les ayude a darle sentido a la experiencia y seguir adelante.

Es probable que de niños —grandes o pequeños— todos hayamos tenido experiencias que son todavía recuerdos crudos. Puede ser algo que hoy parezca ridículo o insignificante y que aún permanezca como un recuerdo difícil. Quizás los padres de un amigo se enojaron contigo por algo que no era tu culpa, o un profesor te exhibió frente a la clase por algo que no entendías, o alguien se metió contigo y nadie trató de ayudarte. El punto es que es más probable que un recuerdo permanezca como recuerdo si hay emociones vinculadas a él, si no le diste o no pudiste darle sentido a la experiencia. Los seres humanos constantemente estamos tratando de hallar significados, por lo cual no entender algo nos provoca estrés.

Los seres humanos constantemente estamos tratando de hallar significados, por lo cual no entender algo nos provoca estrés. Cuando los niños no logran darle sentido a una situación, inventan un significado.

Cuando los niños no logran darle sentido a una situación, inventan un significado.

Los niños interpretan las situaciones para darles sentido. Y a veces tales interpretaciones les causan sufrimiento. Por ejemplo, es muy común que los niños se sientan culpables cuando sus padres se divorcian.

Isabella, la historia continúa

Por suerte, la madre de Isabella se dio cuenta de que tenía que hablar de lo que había sucedido esa mañana, de modo que lograra minimizar el efecto negativo de sus palabras.
Esto fue lo que hizo:

Cuando se calmó se sentó con Isabella. Utilizó el modelo de pensamiento del padre inteligente para guiar sus ideas y le dijo a su hija que tenían que asegurarse de no volverse a hacer lo que se habían hecho.

El Presente

La madre de Isabella asumió la responsabilidad de sus emociones y se disculpó por haber dicho cosas que no quería decir. Explicó que estaba tan enojada que en ese momento sintió que debía decir esas cosas. Explicó qué había hecho Isabella que la hizo enojarse tanto. Asimismo, dijo que era la conducta de Isabella la que no le gustaba, y no Isabella como persona, a fin de que la niña no recibiera un mensaje negativo sobre su personalidad.

De este modo ayudó a Isabella a entender y asumir la responsabilidad de su mal comportamiento.

Le dijo que no podría ver a sus amigos durante dos semanas y que tendría el mismo castigo si reincidía.

Isabella ofreció disculpas a su madre por portarse tan mal y las dos estuvieron de acuerdo en que eso no debería ocurrir de nuevo.

El Futuro

Madre e hija reflexionaron sobre lo que querían que ocurriera en relación con el hecho de vestirse y salir.

Por eso es importante que ayudes a tu hijo a entender e interpretar de manera significativa las interacciones contigo y con los demás, de una manera que les resulte útil.

Tienes que estar pendiente de cosas que hayan malinterpretado y asegurarte de que entienden lo que de verdad está sucediendo.

Tienes que estar pendiente de las cosas que tus hijos hayan malinterpretado y asegurarte de que entienden lo que de verdad está sucediendo.

En este capítulo has meditado acerca de las situaciones que disfrutas y las que no te gustan tanto; de los estados en que entras, positivos y negativos, y lo que dispara esos estados; y has analizado ideas para realizar cambios.

Pensando con optimismo, has ganado un mejor conocimiento de ti mismo. Ahora es tiempo de atender a tus hijos.

Consejos inteligentes

- Observa qué cosas desencadenan tus estados negativos y en lo posible trata de evitarlas.
- Si no puedes evitarlas, haz algo diferente en ese momento.
- Observa qué te desencadena estados positivos y recuerda de qué se trata.
- Practica entrar en un buen estado emocional antes de tener que hacer cosas que no te gustan.
- Dedica unos minutos a imaginar que todo va bien.
- Realiza el ejercicio de la pelota de playa.
- Si respondes de una manera emocional, dedica después tiempo a hablar de ello para que logres darle sentido a la situación.

CAPÍTULO 4

Comprender a tu hijo

Los padres inteligentes se toman tanto tiempo y trabajo como sea necesario para comprender a sus hijos.

Estoy seguro de que ya sabes para qué son buenos y menos buenos tus hijos, lo que les gusta y lo que no les gusta, lo que disfrutan en la escuela y lo que no disfrutan.

Este capítulo no se ocupa de esto, pero sí de la comprensión respecto de cómo piensan tus hijos.

¿Cómo organizan tus hijos su pensamiento para ser buenos en lo que son buenos y que les guste lo que les gusta? ¿Qué piensan y cómo lo piensan de tal forma que influye en ellos para que se comporten de cierta manera? ¿Qué pensamientos extraen de sus experiencias y cómo, si los conocemos, nos pueden ayudar a ayudarlos?

Cuando entendemos los procesos del pensamiento de nuestros hijos podemos:

- Ayudarlos a tomar conciencia de cómo crean sus problemas.
- Ayudarlos a tomar conciencia de cómo tener éxito en ciertas cosas.
- Ayudarlos a aprender con facilidad.
- Ayudarlos a pensar de manera positiva y obtener lo que quieren.
- Usa un lenguaje que ofrezca resultados.

La comprensión de sus procesos de pensamiento consta de tres partes:

1. **Comprensión de lo que están pensando**
2. **Entender cómo piensan**
3. **Entender que el QUÉ y el CÓMO trabajan juntos para formar una estrategia**

Para poder hacer esto tenemos que ver, escuchar y hacer preguntas. Un requisito previo para ver y escuchar con eficacia es la capacidad de hacer a un lado los prejuicios.

En palabras de uno de los maestros más inspiradores que conozco: "Debes escuchar y observar todo el tiempo, sin formarte una opinión y entonces escucharte sólo a ti mismo".

Parte 1

Entendamos QUÉ es lo que piensan

Como seres humanos, la única forma de dar sentido a la experiencia de otras personas es mediante nuestra propia experiencia. "Sé lo que quieres decir" es una expresión comúnmente aceptada. Aunque las más de las veces no sepamos qué quieren decir. Sólo podemos adivinar. Todos tenemos un diccionario interno único que nos permite otorgar sentido a lo que alguien nos está diciendo, según nuestras propias experiencias.

¿Cuántas veces has entendido mal a alguien simplemente porque no le preguntaste qué quiso decir? ¿Has vivido con alguien más? ¿Tu definición de "ordenar" era igual a la de tu compañero de apartamento?

Ejercicio: palabras iguales, significados diferentes

¿Son tus versiones de las palabras siguientes comparables a las de tu marido/ esposa/ pareja/ un amigo?

Respondan los dos a la pregunta: "¿Qué entiendes por [divertido, y las demás palabras anotadas adelante]? o "¿Cómo puedes saber que algo fue divertido?", y compara las respuestas. Hazlo con todas o con algunas de las siguientes palabras. Añade tus propias palabras.

Bien portado
Ordenado
Travieso
Disciplinado
Divertido
Aventurado
Compartido

Una vez que respondan, repite las preguntas hasta que tengas una buena idea de lo que significan.

Por ejemplo

Yo: ¿Qué quieres decir con ordenado?
Amigo: Que me gustan las cosas en su lugar.
Eso es muy vago, así que repetimos la pregunta.
Yo: ¿Qué quiere decir las cosas en su lugar?
Amigo: Me gustan las superficies vacías.

Ahora lo entiendo. Y también sé que no viviría conmigo porque mi versión difiere un poco de la suya.
Ahora que has realizado el ejercicio, ¿cuáles fueron las diferencias en las respuestas?

He aquí otro ejemplo.

Podrías decirme que te gusta ir al teatro. En tu mente está LO QUE QUIERES DECIR CON ESE ENUNCIADO, lo que piensas de acuerdo con tus experiencias de vida cuya suma es "Me gusta ir al teatro". En la superficie parece evidente lo que quieres decir con esa afirmación.
Y porque parece evidente, utilizo mi versión de ese enunciado y reservo boletos para el teatro.
Te presento entradas para ver Hamlet en el West End de Londres. ¡Dios mío! Lo que quisiste decir con "Me gusta ir al teatro", fue que te gusta ir al teatro a ver piezas ligeras o comedias.

Por lo tanto, si quieres saber más, la forma más eficaz es preguntar: "¿Qué te gusta ver en el teatro?".

Cuando formulamos la pregunta, es útil pensar en función de descubrir la información que el hablante tiene en mente en ese momento: el significado personal.

Consideremos de nuevo el ejemplo:

Me gusta ir al teatro.

¿Qué información falta?

Esa información no se encuentra en un enunciado tan pequeño:

Qué me gusta del teatro, qué teatro, cuándo me gusta ir, con qué frecuencia y qué tipo de espectáculo que me gusta.

Por lo tanto, las preguntas útiles para evitar suposiciones si estás planeando comprar boletos, serían algunas de las siguientes:

¿Qué te gusta de ir al teatro?

¿A qué teatro te gustaría ir?

¿Cuándo te gusta ir al teatro?

¿Con qué frecuencia te gusta ir al teatro?

¿Qué te gusta ver en el teatro?

Todas estas preguntas están pidiendo la información que se halla detrás de LA AFIRMACIÓN REAL, su diccionario interno. Todos ellos utilizan en la pregunta las palabras del enunciado.

Usar sus palabras mantiene al hablante en su pensamiento original. Si cambiamos las palabras de otra persona por nuestras palabras cuando estamos tratando de entenderle, haremos la comunicación mucho más difícil.

Como un ejemplo de lo que quiero decir, considera esta nueva pregunta, que es perfectamente pertinente en una conversación de teatro:

Yo: Me gusta ir al teatro.
P: ¿Qué pusieron la última vez que fuiste al teatro?

Para responder a esa pregunta voy a tener que acceder a un recuerdo completamente nuevo.

Por supuesto, nada hay de malo en formular una pregunta como la de esta conversación. Quiero dejar claro que debemos ser conscientes de la forma de dirigir el pensamiento de otra persona mediante cada pregunta que hacemos.

Si tu intención es comprender plenamente los pensamientos de la otra persona, la forma más rápida y más eficaz de lograrlo consiste en mantener las preguntas en el entorno de su enunciado y utilizar sus palabras exactas. Como resultado de usar sus palabras, tus preguntas pueden sonarte anticuadas y gramaticalmente incorrectas. En este contexto eso no tiene importancia.

Cuando usamos las palabras exactas de alguien, ese alguien se siente escuchado y respetado y no se fija en la gramática.

Esto requiere práctica. Al principio, antes de preguntar pregúntate: "¿Qué estoy pidiendo que piensen con esta pregunta?"

Así, si quieres entender qué hay detrás de las palabras de tu hijo necesitas hacer dos cosas:

1 Usar sus palabras
2 Preguntar qué significan

Por ejemplo:

Quiero jugar	¿Qué quieres jugar?
La escuela es maravillosa	¿Por qué es maravillosa?
La historia es basura	¿Qué quieres decir con la historia es basura?
¿Podemos irnos de aventura?	¿Qué clase de aventura te gustaría?
Eso me asusta	¿Por qué te asusta?

Cuidado con suponer que sabes lo que está experimentando tu hijo.

Cuidado con suponer que sabes lo que está experimentando tu hijo.

Tendrás que seguir haciendo preguntas hasta que estés seguro de comprender a fondo. Siempre es mejor asumir que no sabes y no suponer que sabes.

Siempre es mejor asumir que no sabes y no suponer que sabes.

Esencialmente, lo que tu hijo piensa es resultado de su experiencia de vida y cómo ha filtrado la información que recibe. Todos filtramos la información de manera diferente, de acuerdo con nuestras creencias, valores, preferencias y las experiencias vividas. Por esta razón personas diferentes asignan acepciones diferentes a los acontecimientos y por eso dos personas pueden ver exactamente el mismo hecho e interpretarlo de manera diferente.

Acceder a los pensamientos de alguien es la clave para entender su experiencia. Esto nos permite reforzarlos cuando se le ayuda a alcanzar el éxito o bien ayudarle a transformarlos si de alguna manera han quedado cortos.

He aquí un ejemplo de cómo funciona esto:

Imagina que vas de viaje escolar con un grupo de niños de cualquier edad. ¿Qué imagen te viene a la mente? ¿Qué sonidos se asocian con esa imagen?

En primer lugar, tus ideas del inminente viaje escolar imaginario serán informadas por tu experiencia en materia de viajes escolares, sea como niño o como un padre que ha colaborado (tus filtros de la experiencia). Esto también será filtrado a través de tus creencias acerca de los viajes escolares —¿crees que son divertidos, o que tener treinta niños en un viaje es una gran responsabilidad?—. Y también se filtra a través de tus creencias en cuanto a tu manera de relacionarte con los niños —¿se portan bien o mal los niños en los viajes escolares, te prestan atención o no?

ESCENARIO 1

Voy en el viaje de la escuela. Estoy imaginando un grupo de niños felices, sonriendo y riendo. Están muy entusiasmados con el viaje y hacen mucho ruido; puedo oír sus risas en mi mente. Me imagino a mí mismo aprendiendo cosas nuevas con ellos y empiezo a preguntarme qué cosas podrían ser. Me veo con un pequeño grupo de niños interesados en descubrir algo nuevo.

Como estoy teniendo estos pensamientos, comienzo a sonreír y percibo una sensación cálida en el pecho. Empiezo a sentirme entusiasmado con el viaje.

ESCENARIO 2

Voy en el viaje escolar. Pienso en un grupo de niños que parecen a punto de salirse control. No estoy seguro de que me presten atención si necesito disciplinarlos. Tengo una imagen de tres niños que escapan a la carrera y a quienes no soy capaz de recuperar. Corro por todos lados tratando de encontrarlos.

Mientras tengo estos pensamientos, mi frente se surca y mi respiración es superficial. Empiezo a sentirme preocupado por el viaje.

¿Qué tipo de experiencia vas a tener? ¿Cómo te comportarás con los niños si estás preocupado por el viaje? ¿Cómo podrías comportarte de manera diferente si estás excitado y deseando que el viaje termine? Es más probable que repares en el buen comportamiento de los niños si eres positivo contigo mismo, porque es a lo que le prestas atención.

Por lo tanto, tu experiencia en gran medida depende de lo que pienses antes del viaje, porque esos pensamientos determinarán a qué le prestarás atención durante el viaje.

En otras palabras, **obtienes aquello para lo cual te predispones.**

Sugerencia inteligente

Obtienes aquello en lo que te centras, ¡así que asegúrate de que sea algo que quieras!

He aquí otro ejemplo de cómo trabajan nuestros procesos de pensamiento. Piensa en la última vez que fuiste al cine o viste una película en casa. Cuando estás viendo la película involucras todos tus sentidos: ves la película, escuchas la banda sonora y experimentas las emociones que el director quiso que sintieras. También puedes ser consciente de otras representaciones visuales y otros sonidos en la sala: alguien que bloquea la vista o cambia de asiento, gente hablando o comiendo palomitas de maíz. Puede haber también otras sensaciones. ¿Es cómodo el asiento? ¿Cuál es la temperatura allí dentro? Y también puedes ser consciente de los olores y, si estás comiendo, de los sabores.

Ahora, mientras piensas, recuerdas los datos de la experiencia. Es casi seguro que a tu memoria le falte mucha información en comparación con la experiencia original. Tendrás que recordar a qué cosas prestabas atención en ese momento. Recuerda que eso es lo que forma tus pensamientos acerca de la experiencia original.

Si viste la película con alguien más, tendrán un recuerdo diferente de la misma experiencia. Todos hemos pasado por la experiencia de haber estado con alguien ante un hecho determinado y tenemos recuerdos por completo diferentes.

Esto es, nuestro recuerdo de la experiencia se forma con aquello a lo que prestamos atención, y eso a lo que prestamos atención depende de nuestros filtros. Le damos sentido a nuestras experiencias de acuerdo con muchas cosas, lo cual incluye creencias, valores, preferencias personales y todas nuestras experiencias anteriores —base de lo que somos—. Por lo tanto, ese recuerdo no sólo posee información que falta, también es diferente de la realidad.

Cuando hablamos de la ida al cine, nuestro recuerdo cambia de nuevo, mediante el lenguaje. No le decimos a la gente todo lo que recordamos de la película, sino sólo las partes que creemos le interesan, o un resumen. En otras palabras, omitimos partes y falseamos la experiencia aún más.

Realmente es milagroso que podamos entendernos.

Cómo obtener aquello para lo cual te predispones

Ya has dedicado algún tiempo a pensar en el tipo de padre inteligente que deseas ser. Imaginaste comportarte como lo deseas y te escuchaste hablando con tus hijos como lo quieres.

Puedes hacer el mismo ejercicio con tus hijos. Puedes enseñarle a tu hijo a crear en su mente imágenes de lo que quiere que acontezca. Mientras más vigorosa la imagen, más probable es que suceda. Esto lo hacemos naturalmente cuando sabemos qué queremos. Mi hija llegó hace poco del colegio y me habló de un viaje escolar que quiere hacer dentro de seis meses. Hablaba como si ya estuviera de viaje, pintando un cuadro de lo que piensa será el alojamiento con desayuno, cuántos niños habrá en cada habitación, las actividades que realizarán, lo emocionante que será. No hay duda de que va en ese viaje mental.

La historia de Madeleine

Madeleine tiene trece años. Juega hockey y entra a la prueba para ganarse un lugar en el equipo del condado. Ese día hay 90 chicas en competencia.

Karen, su madre, le pregunta esa mañana qué espera ganar en la prueba.

Maddie: Quiero ganarme la camiseta del condado, mami.

Karen: ¿Puedes verte con la camiseta puesta?

Maddie: Sí, me veo con ella.

Karen: Perfecto. Píntate ese cuadro lleno de color y brillo y piensa en él todo el día.

Maddie acudió a la prueba desbordando entusiasmo.

Fue la única que se ganó un lugar en el equipo.

La historia de Harry

Harry entrena un equipo de futbol de menores de once años. Al equipo no le fue bien la temporada pasada y los muchachos se sintieron desmoralizados.

Dio la casualidad de que Harry oyó hablar de la técnica de visualizar lo que quieres y decidió utilizarla.

Habló con cada miembro del equipo en forma individual. Pidió a cada niño que creara una imagen de sí mismo jugando muy bien y fue muy específico al mencionar lo que quería que pensaran. Se aseguró de que cada niño ensayara mentalmente una actuación relevante que concluyera con una celebración.

Durante el juego, en vez de las numerosas instrucciones que normalmente gritaba, sólo gritó "¡Tú sabes qué hacer, recuerda las imágenes!"

Ese día los chicos jugaron a morir y salieron victoriosos.

Consejos inteligentes que ayudan a nuestros niños a obtener resultados positivos

- Pídeles que creen una imagen de sí mismos haciendo bien una actividad.
- Haz que lo ejecuten como en una película, haciendo lo que necesiten de manera fácil y excelente.
- Pídeles que añadan sonidos y emociones a su película.
- Si se trata de una actividad en equipo asegúrate de que también imaginen a sus compañeros y ellos lo hagan muy bien.
- Tienes que ser específico acerca de las técnicas aplicadas (marcar goles, derribar, evadir, correr rápido, de manera que recuerden con facilidad lo que deben hacer).
- Pídeles que imaginen cuál será el resultado de que hagan bien las cosas y sean los mejores (celebrar la victoria orgullosos de sí mismos, sostener la copa, aprobar el examen).
- Utiliza siempre el lenguaje de manera positiva.

Por supuesto, somos también muy buenos para crear cuadros vívidos que no nos resultan útiles. Forjamos imágenes mentales que nos producen ansiedad; por ejemplo, algunos empezamos a "imaginar lo peor" si alguien con quien nos citamos no aparece a tiempo. Podemos estar creando cuadros de algo que va mal y probablemente hablando con nosotros mismos de manera negativa. A menudo escuchamos: "¿qué pasa si no apruebo?", o "¿y si no se presentan a la cita?". Para decir esas cosas hay que haberlas imaginado antes.

A continuación se desencadena una sensación de ansiedad. Las personas que viven preocupándose son muy buenas para imaginar situaciones negativas que les atañen, y en seguida imaginan un próximo evento negativo resultante del primero y las consecuencias que acarreará. Esto no es una estrategia para una vida feliz.

Concédete un momento para pensar en algo que te preocupó alguna vez, o en algo que te tiene ligeramente preocupado hoy. Puede ser una actividad que estás organizando, un asunto de trabajo o incluso algo pequeño, como preocuparte de que a alguien no le guste el regalo que le compraste. ¿Cómo imaginar el futuro en relación con el problema que te causa preocupación? ¿qué clase de cuadros imaginas?

La historia de Alicia

Alicia tiene casi seis años y está a punto de presentar su primer examen de *tap*. Se sabe todos los ejercicios y rutinas, ha tomado clases extra para prepararse, ha recibido un montón de elogios y el estímulo de su maestro y tiene la música en casa para practicar entre lecciones. Es importante destacar que nunca ha sido obligada a tomar lecciones de tap porque ama ese baile absolutamente y si pudiera iría a clases todos los días.

Imagina la sorpresa de su madre cuando a la hora de dormir, cinco días antes del examen, Alicia echó a llorar y dijo que le preocupaba no aprobar el examen. La respuesta natural de su madre fue consolarla y tranquilizarla diciéndole que aprobaría. Es una respuesta que todos usamos, pero no resultó eficaz para ayudar a Alicia a dejar de preocuparse. Decirle a alguien que no se preocupe no funciona porque las imágenes que le causan conflicto son muy poderosas.

La madre de Alicia entendió que la niña debía crear imágenes en su mente y le preguntó: "¿Qué crees que sea lo que te hace preocuparte?"

Alicia: No puedo decírtelo.

Madre: ¿Puedo suponerlo?

Alicia: Sí.

Madre: ¿Te has creado una imagen de que todo saldrá mal?

Alicia: Sí. Creo que quien me va a examinar será una mujer vieja y antipática.

Madre: ¿Cómo te la imaginas?

Alicia: Es una bruja.

La madre de Alicia supo exactamente qué causaba la ansiedad de la niña frente al examen y vio que tenía varias opciones para lograr que Alicia se sintiera mejor. Si hubiese tratado de convencerla de que todo saldría bien porque la niña sabía las rutinas y había estado practicando, en la mente de Alicia aún seguiría la imagen de la bruja examinándola.

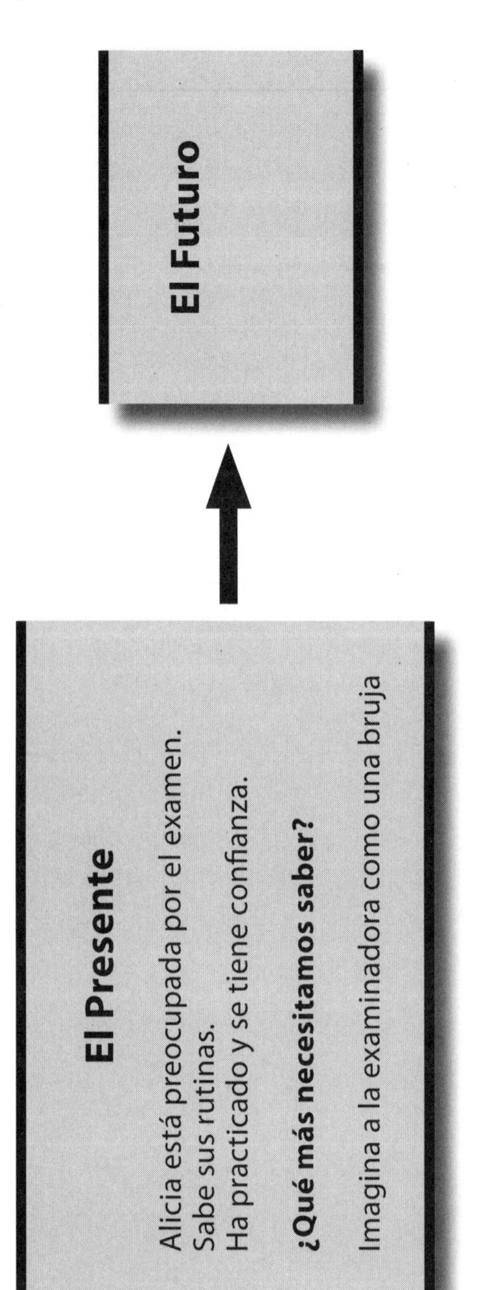
El Futuro
El Presente
Alicia está preocupada por el examen.
Sabe sus rutinas.
Ha practicado y se tiene confianza.
¿Qué más necesitamos saber?
Imagina a la examinadora como una bruja

La pregunta de la madre de Alicia: "¿Qué piensas que te hace preocuparte?", es una excelente pregunta para averiguar qué ocurre. Al igual que en este ejemplo, a menudo tenemos que sonsacarle la respuesta a nuestro hijo con el fin de seguir avanzando. Con el tiempo, los niños se acostumbrarán a las preguntas y serán más conscientes de sus procesos. Cuando den voluntariamente este tipo de información, habrás hecho un progreso significativo. Les habrás ayudado a adquirir conciencia personal, cosa que les ayudará a afrontar los problemas en el futuro.

Superar los momentos de ansiedad

He aquí algunas maneras sencillas de deshacerse de la ansiedad y la preocupación. Son fáciles de enseñar a los niños. Mis hijos usan estas estrategias por sí solos, conscientemente, si algo les preocupa.

Todas estas ideas de alguna manera implican la modificación de los pensamientos que crean el estado negativo que llamamos ansiedad o preocupación.

1 Elabora una imagen del evento transcurriendo bien.

Si alguien le teme a una presentación, es común que cree imágenes de rostros de piedra o de una audiencia hostil.

Puede reemplazar esa imagen con un público sonriente que aplaude.

Pruébalo tú mismo. ¿Cuál es la diferencia en las emociones vinculadas a las dos imágenes?

Quizá tenga una imagen de sí mismo metafóricamente hecho pedazos.

Puede cambiar esa imagen por otra en la que se vea y suene seguro y relajado.

Si camino de la escuela o yendo a otro lugar uno de mis hijos se ve ansioso, le pido que ponga en su cabeza una idea de él saltando feliz en la escuela o disfrutando del trayecto. Tiene un efecto instantáneo.

2 De algún modo, hacer cómica una imagen negativa

La solución para Alicia y su ansiedad acerca de la examinadora que parecía una bruja, fue convertir a la bruja en un oso de peluche gigante. Por supuesto, Alicia sabía que su examinadora no sería un peluche gigante, pero sus nuevos pensamientos la hicieron sonreír y se sintió diferente. Fin de la ansiedad.

Harry Potter y el prisionero de Azkaban

JK Rowling muestra esta técnica en *Harry Potter y el prisionero de Azkaban*. En las clases, los niños aprenden a lidiar con sus más oscuros temores. Hay una criatura llamada Boggart cuya verdadera forma nunca se puede ver, porque en cuanto está frente a ti se convierte en lo que más miedo te causa. Así que si tienes miedo de las arañas se convierte en una araña gigante. A las jóvenes brujas y magos se les enseña a imaginar un cambio cómico que tiene lugar en la manifestación de su miedo más profundo, mientras lanzan un hechizo a la criatura: "¡Riddikulus!". Si lo imaginan con fuerza suficiente, la criatura delante de ellos sufrirá un cambio cómico. Así, la araña gigante de repente tendrá patines.

Ante cualquier admirador de Harry Potter, para sus padres será fácil sugerirle que haga algunos cambios cómicos a la imagen que le causa preocupación.

3 Aleja de ti la imagen

A veces es la naturaleza vívida y cercana de la imagen lo que atemoriza a los niños.

Cuando mi hijo tenía tres años comenzó a ver videos de Disney. Siempre he sido cuidadoso con lo que ve, porque siempre se asustaba fácilmente con la menor cosa. Durante una semana vio un poco de *Blanca Nieves y los siete enanos* cada noche. Le encantó y me sorprendió que nada lo asustara.

Una noche, cuando se iba a la cama, me dijo que seguía pensando en la parte donde la reina malvada se convierte en una vieja, y que no podía sacársela de la cabeza.

Le pedí que observara de nuevo el cuadro de la reina. Fue un error, porque los niños de su edad son muy literales; empezó a mirar a su alrededor y dijo: "¿Dónde está?". Mi segundo intento, mucho más exitoso, fue pedirle que mirara el cuadro de la malvada reina en su cabeza, lo cual hizo inmediatamente, sin titubeos. Le pregunté si podía arrojar lejos de sí esa imagen y lo que hizo nos sorprendió a los dos por diferentes razones. Literalmente arrojó la imagen lejos de sí con la mano e inmediatamente echó a reír. Cuando le pregunté qué había pasado dijo que la reina se había caído y ya no lo atemorizaba.

Puede sonar extraña la pregunta: "¿Qué pasa dentro de tu cabeza?", pero he encontrado que para los niños muy pequeños esto tiene más sentido que decir "mente" o "pensamientos".

Ahora, cada vez que mi hijo tiene pensamientos desagradables o aterradores, sabe que puede alejarlos.

Algunas variantes que hemos utilizado son: arrugar la imagen como si se tratara de papel y tirarla a la basura; cambiar las cualidades de la imagen, por ejemplo bajarle el sonido o ponerle una voz tonta; ocasionalmente mi hijo me pide que aleje yo la imagen "porque tus brazos son más largos que los míos".

La historia de Tom y Theo

Theo y su hermano Tom dormían en la misma habitación cuando a Tom lo despertó una pesadilla. A Theo lo despertó la conmoción y le dio a Tom un consejo: "Cuando eso me pasa, imagino que tengo un control remoto y cambio de canal". Funcionó.

4 Actúa como si ellos tuvieran el control de las imágenes.

Es muy útil saber que nosotros mismos creamos nuestras preocupaciones, porque entonces podemos hacer algo al respecto. Parece obvio cuando lees sobre el tema y te tomas un minuto para pensarlo, pero la mayoría de nuestros pensamientos se producen por debajo de nuestra conciencia. Y no sólo esto, pues la gente se sorprende al saber la cantidad de control que puede ejercer sobre sus pensamientos.

Tan pronto como oyes a tu hijo decir: "Estoy un poco nervioso por...", "Estoy un poco preocupado...", puedes estar seguro de que está creando imágenes de actividades futuras que van mal.

Muchos de los problemas cotidianos de nuestros hijos se pueden superar simplemente sabiendo que así es como nos hacemos ansiosos. Todo lo que necesitas es averiguar exactamente qué están pensando que los pone ansiosos y luego ayudarles de alguna manera a cambiar la imagen.

Sería fantástico que pudieras enseñarle esta habilidad a tu hijo.

Consejos inteligentes

- Antes de hacer la pregunta piensa en lo que le estás pidiendo pensar a tu niño.
- Evita hacer suposiciones cuando preguntas: "¿Qué quieres decir con...?"
- En tus preguntas usa sus palabras exactas para mantenerlas asociadas a sus pensamientos, incluso si tu pregunta es gramaticalmente incorrecta.
- Pondera tus pensamientos acerca del día. ¿Te estás concentrando en lo que quieres que ocurra o en lo que no quieres que suceda?
- Prepara a tu hijo para un buen día pidiéndole que imagine lo que quiere que suceda.

- Cuando tu hijo esté preocupado por algo, pregúntale qué cree que le está causando la preocupación y luego usa las estrategias anteriores para ayudarle a cambiar sus pensamientos.

Parte 2

Entendamos CÓMO piensan

Tus pensamientos pueden estar compuestos por imágenes, sonidos, sensaciones, sabores y olores. Piensa en tu última salida al cine. ¿Qué es lo que más recuerdas: las imágenes, la banda sonora o las emociones que te provocaron? Si la gente me pregunta acerca de la banda sonora de una película, tengo que confesar que no la recuerdo: sencillamente no la aprecié tanto como el diálogo o las emociones que experimenté. Así filtramos también nuestras experiencias mediante los sentidos.

Aquí nos interesa la forma en que piensas tanto como lo que piensas. ¿A qué sentidos les prestas más atención?

Todos pensamos en todos los sentidos. Es importante recordar esto para no vernos tentados a poner a nuestros niños en casillas que no les sirven de nada.

Podrías darte cuenta de que cada vez que los niños te cuentan una nueva experiencia, te la cuentan de una manera diferente, en cuyo caso tienen un mundo sensorial interior muy rico. O bien puedes empezar a notar que tu hijo muestra una preferencia particular: por ejemplo, siempre comunica lo que ha oído o lo que ha visto.

¿Resulta esto útil? Cualquier idea de cómo piensa tu hijo es útil para ayudarle a aprender o, simplemente, para comunicarte mejor con él.

La historia de Charlie

Vanessa tiene un hijo de cinco años de edad: Charlie. Ha tenido dificultades para persuadirlo de comer ciertas cosas y pasa por un momento especialmente difícil cuando se trata de convencerlo de que se bañe. Charlie parece ser musical y probablemente tiene una tonalidad perfecta. Cuando Vanessa se enteró de las preferencias por ciertos sentidos, tuvo una idea que le ayudó a hablar con Charlie de una manera irresistible para él.

Vanessa se dio cuenta de que Charlie prefiere usar el sentido auditivo; le gustan los sonidos y es sensible a ellos, es a lo que presta mayor atención. Entonces se propuso probar nuevas maneras de convencer a Charlie de entrar al baño y comer su comida.

Compró comida ruidosa y consiguió juguetes ruidosos para el baño. La siguiente vez que nos reunimos se veía entusiasmada con los cambios que eso había logrado. Sólo tenía que decirle a Charlie: "Vuela al baño y dime si el agua suena como cuando agitas este juguete", y Charlie se metía al baño. Lo mismo sucedió con los alimentos. Vanessa decidió comprar alimentos crujientes o que hicieran ruido. Y la sorprendió la reacción positiva cuando decía: "Charlie, prueba esta verdura y dime qué ruido hace cuando la masticas". Los alimentos nuevos se han vuelto irresistibles.

La historia de Joe

Joe es un chico muy activo, siempre en movimiento. Le resulta difícil concentrarse en clase porque no le gusta permanecer sentado. Al parecer muchos jóvenes son así.

Su madre tenía problemas para que Joe se sentara a hacer la tarea. Hablé con ella acerca de las preferencias de Joe y reparó en que mostraba una alta preferencia cinestésica (valerse del cuerpo, el movimiento y el tacto, a diferencia de las preferencias visuales y auditivas). Ahora se acercan a la tarea de forma muy diferente.

Charlie camina mientras lee, aprende ortografía y las tablas de multiplicar en la cama elástica y su madre hace todo lo que puede para atraerlo físicamente a su tarea.

Como resultado, los dos se divierten y Joe realiza su tarea con éxito.

Hay tres modos principales de pensamiento:

1 **Visual:** pensar en imágenes
2 **Auditivo:** pensar en sonidos
3 **Cinestésica:** pensar en las emociones o describir acciones

Si aspiramos a ser conscientes de las preferencias de nuestros hijos, requerimos ese espíritu abierto del cual hablé en el Capítulo 1; es decir, abandonar los prejuicios e interesarse verdaderamente. Entonces, ¿cómo determinar qué sentido prefiere usar un niño, si es que tiene una preferencia?

¿Qué estamos escuchando?

1 Su lenguaje
2 A lo que prestan atención

1 ESCUCHAR SU LENGUAJE

¿Cómo describe tu hijo su día en la escuela? ¿Habla de cómo se ven las cosas, de los sonidos que le gustan o de sus actividades?

Lenguaje visual

Si un niño está utilizando el lenguaje visual, usará palabras que describen algo visualmente.

"Un gran árbol cayó en el jardín de los abuelos. Tenía un montón de ramas que sobresalían y un tronco de color verdoso. Aplastó las flores color de rosa contra la tierra. Con las ramas delgadas hicimos una hoguera muy alta. Las llamas eran de un color naranja brillante y el humo se enroscaba por encima".

Lenguaje auditivo

Cuando un niño habla de algo con lenguaje auditivo, describe los sonidos e informa del habla.

"El abuelo cortó el árbol con una sierra de cadena. Era muy ruidoso. Sonaba como una moto. La abuela dijo que nos mantuviéramos a distancia para estar a salvo. La hoguera que encendió el abuelo tronaba".

Lenguaje cinestésico

Cuando un niño describe algo cinestésicamente, habla de lo que hicieron y de cómo se sentían.

"Estaba ayudando al abuelo a recoger palos y leños. Luego ayudé a la abuela a rastrillar las hojas. Después llevé a reparar la sierra eléctrica del abuelo. Y al final llevé los leños en la carretilla para echarlos a la hoguera. Fue un trabajo duro y divertido".

2 ¿A QUÉ LE PRESTAN ATENCIÓN? OTRAS PISTAS

Niños que tienen una preferencia visual

¿Se dan cuenta inmediatamente si usas algo nuevo o has movido los muebles?

Cuando extravías las llaves, es probable que te puedan decir dónde están.

Les gustan las cosas que se explican con imágenes.

Niños que tienen una preferencia auditiva

Es probable que les encante la música y perciban ruidos que otras personas no. Pueden necesitar un entorno tranquilo para concentrarse o, sentir que muchos lugares son muy ruidosos. Te dicen lo que la gente les ha dicho.

Niños que tienen una preferencia cinestésica

Suelen ser vigorosos, disfrutan del deporte y se inquietan si tienen que permanecer sentados mucho tiempo.

Es posible que, si no tienen oportunidad de hacer algo durante el aprendizaje, tengan dificultad para aprender ciertas cosas.

¿Qué preferencias muestran tus hijos? ¿**Predominantemente** piensan en imágenes, en sonidos o prefieren hacer algo? ¿Hablan mucho consigo mismo?

Recuerda no encasillar a tus hijos. Todos usamos estos sistemas.

Etiquetar a tu hijo como "visual", "auditivo" o "cinestésico" no es necesariamente útil. Trabajé con una adolescente a quien se dijo que no visualizaba.

Ella aceptó la declaración porque vino de un profesional, pero le ha causado todo tipo de problemas. Como resultado de su creencia de que no visualiza, su capacidad para escribir de manera creativa sufrió, porque ella tenía que usar la imaginación (visual) a fin de generar ideas para escribir.

Todo el mundo visualiza hasta cierto punto, aun si alguien piensa que no lo hace. De hecho, curiosamente, parece ser que la gente que piensa que no visualiza tiene una preferencia visual fuerte. Sólo que crean las imágenes muy rápido y estas imágenes quedan por debajo de la conciencia. Así que si tu hijo no es consciente de su imaginación, tendrás que intentar preguntarle esa información mediante recursos creativos que él pueda entender.

Otra forma muy efectiva de saber cómo procesa tu hijo la información es haciéndole preguntas.

La historia de Dylan

Dylan tiene siete años. Su madre, Louise, siempre le pregunta: "¿Cómo estuvo hoy la escuela?". La respuesta suele ser: "Bien". Imagina la sorpresa de Louise cuando ella lo retó un día: "Dylan, nunca me dices lo que has hecho en la escuela", y obtuvo la siguiente respuesta: "Es que no haces las preguntas correctas".

Louise quedó perpleja y decidió dedicar más atención a sus preguntas.

La clave para hacer preguntas es tomar en cuenta lo que le estamos pidiendo al niño que piense. Veamos por ejemplo el intento de obtener información de nuestros escolares.

"¿Cómo estuvo la escuela?" es una pregunta demasiado vaga para algunos niños. Con el fin de responder a tal cuestión tienen que correr con la mente a lo largo de todo el día con suma rapidez. Los niños no tienen la capacidad de elegir una cosa y evaluarla. Es mucho más eficaz que elijas una parte del día y preguntes sobre ella. Si conoces su preferencia de acuerdo con el pensamiento sensorial, inicia las preguntas en ese sentido.

Por ejemplo, Louise sabía que su hija Morgana tenía preferencia visual y por eso comenzó con la pregunta: "¿Quién estaba sentado junto a ti a la hora del cuento?". Con el fin de responder a la pregunta, Morgana obtiene una visión de la persona sentada a su lado. Louise la ha reconectado con una experiencia específica y ahora puede preguntar otros detalles que le interesa conocer. La primera vez que le preguntó qué historia contaba la maestra, Morgana repitió todo el momento, reviviendo la experiencia.

Si deseas guiar específicamente la respuesta a un sentido particular, prueba algunas de las siguientes preguntas.

- Preguntas que requieren una respuesta visual:
  ¿A quién viste hoy en la escuela?
  ¿Cómo iba vestido el maestro?
  ¿Qué trabajo mostraban en el aula en ese momento?

- Preguntas que requieren una respuesta auditiva:
  ¿Qué escuchaste hoy?
  ¿Qué te dijo el maestro / de qué habló?
  ¿Qué canciones cantaste en la clase de música?

- Preguntas de respuesta cinestésica:
  ¿Qué hiciste hoy?
  ¿Qué jugaron a la hora del recreo?

En cualquier momento podemos preguntarles directamente. ¿Qué imágenes estás creando en tu cabeza (visual)? ¿Qué estás escuchando (auditiva)? ¿Qué sientes (cinestésica)?

Dylan

Al llegar a casa Dylan dijo que había tenido un juego de futbol muy bueno. Normalmente la conversación hubiese terminado allí.

Louise, luego de pensar qué pregunta sería eficaz, se vio llevándolo de vuelta a esa experiencia. El resultado fue que

Dylan se sintió fantástico otra vez y Luisa sintió que había estado en el juego. Así es como lo consiguió:

Louise: Dylan, ¿puedes crear en tu mente una imagen de un buen momento del partido, cuando jugaban muy bien?

Dylan: Sí.

Louise: ¿Puedes decirme qué pasaba?

Dylan: Bueno, puedo verme en el terreno de juego con algunos de mis compañeros.

Louise: Dime qué está pasando.

A continuación Dylan refirió en detalle lo que ocurría en ese momento, como si comentara el partido. Mientras lo hacía, Louise empezó a preguntarle sobre sus otros sentidos:

Louise: Mientras ves esas imágenes, ¿puedes oír algo?

Dylan: ¡Oh, sí! Claro que puedo. Escucho los aplausos y los gritos.

Louise: ¿Y cómo te sientes ahora?

Dylan: Me siento como cuando sucedió. ¡Fantástico!

Aquí hay un ejemplo de cómo funcionaron esas preguntas con Dylan:

Si obtenemos esta información de calidad de nuestros hijos, podemos darle muy buen uso.

Louise sugirió a Dylan que cada vez que quisiera sentirse así de fantástico, simplemente tenía que pensar en esa parte del partido de futbol. Ese recuerdo se convertirá en el detonante de una sensación estupenda a la que Dylan podrá acceder cuando quiera.

¡El estado afecta el comportamiento!

Consejos inteligentes

- Haz a un lado los juicios.
- Prepárate para ver y oír.
- Indaga las preferencias sensoriales de tu hijo:

-escuchar su lenguaje
-prestar atención a lo que le gusta

- Usa el lenguaje de la preferencia de tu hijo para involucrarlo.
- Formula preguntas en su sentido preferido para conectarlo con su experiencia.

Parte 3

Entendamos cómo hacen para formar una estrategia

Tenemos una estrategia para todo lo que hacemos, lo sepamos o no. Tenemos una estrategia para lavarnos los dientes, para vestirnos, para recordar dónde dejamos las llaves del coche y para tareas mucho más complejas. Algunas de nuestras estrategias son muy eficaces y otras lo son menos.

Estrategia sólo quiere decir **cómo hacemos lo que hacemos**. Es una combinación de las cosas que hacemos físicamente y que pueden ser observadas por los demás, y de lo que pensamos y cómo lo pensamos. Todo esto conduce a un resultado de una u otra clase y de mayor o menor éxito.

No somos conscientes de la mayor parte de nuestras estrategias y mucho menos de la parte pensante. La estrategia opera en un nivel inconsciente. En consecuencia, si somos buenos para algo y alguien nos pregunta cómo lo hacemos, lo más probable es que no seamos capaces de explicarlo o no lo hagamos con facilidad.

Mi padre era muy bueno para las matemáticas. Lo recuerdo tratando de ayudarme con la tarea de matemáticas cuando era yo adolescente. La experiencia resultó frustrante para los dos. Sencillamente no podía yo hallarle sentido a su forma de acercarse a los problemas. Ahora me doy cuenta de que su manera de pensar los problemas era completamente distinta de mi manera de encararlos. Ninguno de los dos era consciente de las diferencias en nuestro pensamiento y ciertamente no teníamos la capacidad para averiguarlo. De hecho, no éramos ni remotamente conscientes de esa posibilidad; sólo sabíamos que hacíamos las cosas de manera diferente y eso nos frustraba. Ojalá hubiera sabido entonces lo que sé ahora.

También me gustaría saber cómo ciertas personas pueden asomarse al refrigerador y preparar una deliciosa comida con lo que hay allí. Tengo una amiga que lo hace. ¿Cómo sabe que va a saber bien? ¿Cómo sabe qué cantidad de cada ingrediente debe añadir? ¿Cómo sabe cuánto tiempo debe cocinar? Etcétera. Las respuestas están en su mente y muy posiblemente fuera de su conciencia.

Cuando le pregunté cómo lo hacía, su primera reacción fue: "Bueno, todo el mundo puede hacerlo". Y agregó: "No lo sé, sólo sé que puedo", y en seguida expresó su incredulidad ante la opinión de que no todo el mundo puede hacerlo de forma automática. Cuando alguien es muy bueno para algo, como hacerlo es fácil para él asume que debe ser fácil para todos.

En el deporte los psicólogos son contratados para ayudar a los deportistas con su "juego interior", su estrategia mental. En el nivel superior, las más de las veces es la estrategia mental del atleta lo que marca la diferencia entre ganar y perder.

El gran tenista Roger Federer alcanza tiros difíciles que hacen decir a los azorados comentaristas que llegar a esas pelotas no es humano. Roger Federer dice que lo hace poniendo el juego en cámara lenta. ¿Cómo demonios lo consigue? Me pregunto si alguien conoce su estrategia para desacelerar el tiempo.

Para que los niños tengan éxito en la vida, tienen que ser conscientes de lo que hacen bien. Específicamente necesitan saber cómo hacen bien las cosas para mejorar y hacerlas más a menudo. Y a fin de tener éxito también necesitan saber lo que hacen menos bien. Necesitan saber cómo hacen menos bien ciertas cosas para dejar de hacerlas o cambiar la forma de hacerlas, buscando una forma que funcione mejor.

Así, como padres debemos aprender a descubrir las estrategias exitosas de nuestros niños y también las estrategias que les causan problemas.

Cómo descubrir una estrategia

Hay tres pasos clave para cualquier estrategia:

1 El punto de partida o detonante: ¿qué es lo que pone en marcha la estrategia?
¿Cómo saben los niños cuándo iniciar la estrategia?
2 Los pasos: se trata de los pasos de la estrategia que llevarán a cabo en sus mentes y en su comportamiento.
3 El final de la estrategia: ¿cómo saben cuándo parar?
Hemos examinado en detalle nuestras estrategias para obtener un estado emocional particular (p. 57 Consejos inteligentes). Ahora podemos aplicar lo mismo para comprender a nuestros hijos.

La historia de Sam

Sam era un típico adolescente de humor voluble: un minuto arriba y el siguiente abajo. En un momento pasaba del entusiasmo a la hosquedad y grosería. Su familia estaba harta de no saber en qué momento se pondría de mal humor, y cuando estaba así no sabían cómo lidiar con él. Trataron de ignorarlo y muchas cosas más, incluyendo preguntarle por qué. No llegaban a ninguna parte, hasta que un día su padre intentó una ruta diferente.

He aquí cómo averiguó la estrategia de Sam:

Papá: Sam, eres de veras bueno para ponerte en esos estados de ánimo. Me interesa, ¿CÓMO lo haces?

La pregunta provocó en Sam algún tipo de confusión, pero su padre mantuvo la actitud de verdadera curiosidad. Sam tuvo que pensar la respuesta y él mismo se sorprendió cuando dijo lo siguiente:

Sam: Bueno, pues pienso en alguien que no me gusta.

Papá: Y luego, ¿qué haces?

Sam: Luego miro el suelo y camino así...

En este punto Sam caminó con los hombros encorvados y arrastrando los pies.

Papá: Así que primero piensas en alguien que no te simpatiza, luego miras el suelo y doblas los hombros y arrastras los pies. ¿Es cierto eso?

Sam: (sorprendido) Sí.

Pruébalo. Eso basta para poner a cualquiera de mal humor.

Ahora el padre de Sam tiene una estrategia para ponerse de mal humor, pero no cuenta con el detonante: eso que lo impulsa a decidir ponerse de mal humor.

Si las preguntas son las adecuadas, Sam podría llegar a ser consciente de lo que lo echa a andar. Y si se da cuenta de qué lo echa a andar, inmediatamente tendrá más opciones.

La pregunta para Sam es: "¿Qué sucede justo antes de que comiences a pensar en ...?". O bien: "¿Cómo sabes cuándo entrar en cierto estado de ánimo?"

Sam: Cuando me piden que haga algo que no quiero hacer.

Averiguar por qué Sam se ponía de mal humor tan a menudo fue un gran avance para la familia. Había sido muy agotador para todos tratar de manejar sus estados de ánimo. Y Sam se hizo consciente de que se habían abierto opciones para él. Como ahora tenía conciencia de cómo creaba su mal humor, ya no pudo hacerlo con efectividad porque se daba cuenta de lo que estaba haciendo y eso lo divertía.

Esto le permitió a Sam y a su padre conversar acerca de la respuesta de Sam a las peticiones, conversación que antes no hubiera podido darse entre ellos.

Consejo inteligentes

Lo más importante es que te asegures de que eres curioso y tienes la mente abierta. Es importante que te mantengas interesado y no emitas juicios.

1 En primer lugar, necesitamos un punto de partida.
Pregunta: "¿Cómo sabes cuándo comenzar...?". O bien: "¿Qué ocurre justo antes de que tú...?"

2 A continuación necesitamos saber la estrategia.
Haz preguntas simples. Observa, escucha y sugiere cuando los niños no logren responder.
"¿Qué es lo primero que haces?" "¿Qué es lo primero que ocurre?" "¿Qué hacías con la cabeza / la mente?"¿En qué pensabas?"
Sigue preguntando: "¿Entonces qué pasaba?", hasta que pienses que conoces la estrategia.
Ensaya la estrategia con ellos. Debes ser lógico: imagínate practicando la estrategia para ver si tiene sentido.

3 ¿Cómo saben cuándo parar?
La mayoría de las veces es evidente y no necesitas pedirlo. Bien sabes que hay un final para cada estrategia. En el caso de Sam, el final de la estrategia acontece cuando está de muy mal humor.

La historia de Helen

Helen, de catorce años, tomaba clases extra de matemáticas. Cuando la profesora de matemáticas le preguntó qué la había impulsado a tomar esas lecciones, Helen dijo: "Puedo hacer las sumas fáciles, pero no las difíciles". Hay una gran cantidad de información sobre su estrategia en esa frase. Por ejemplo, ¿cómo decide Helen que algo es fácil o no? ¿Cómo decide que algo es difícil?

En vez de simplemente enseñarle a hacer las sumas difíciles, la profesora de matemáticas hizo algo mucho más eficaz. Decidió averiguar la estrategia de Helen para hacer las sumas fáciles.

Le pidió a Helen que hiciera una suma fácil de la lista. La chica la hizo inmediatamente y la maestra le preguntó: "¿Cómo lo hiciste?". Como la mayoría de nosotros, Helen no tenía conciencia de su estrategia mental y contestó: "Bueno, ya lo sabía."

Para no quedarse atrás la maestra le explicó que tenemos una estrategia para todo, hasta para salir de la cama y cepillarnos los dientes, y que algunos de los pasos de la estrategia son cosas que hacemos y otros pasos suceden en nuestra mente. Explicó que incluso si acabamos de saber algo, para llegar allí hemos pasado por algunos procesos mentales muy rápidos.

Así que lo intentó de nuevo.

Maestra: Cuando ves esa suma, ¿qué es lo primero que haces en tu cabeza?

Helen: Oh, pues tengo en la cabeza un cuadro con los dos números y así puedo decidir cuál es el más grande.

La profesora continuó con esa línea de preguntas, "¿Y qué es lo siguiente que ocurre?", y así sucesivamente hasta que tuvo la estrategia de Helen por escrito.

El próximo paso consistió en probar la estrategia en "las sumas difíciles". La profesora pidió a Helen que eligiera la más difícil de la página. A pesar de las protestas de Helen, aplicaron metódicamente su estrategia a la suma difícil y lograron una respuesta correcta en forma rápida y sencilla.

Helen aprendió a hacer las sumas difíciles y aprendió tomando conciencia de sus procesos mentales. Esto es mucho más motivador e inspirador para un niño que tratar de enseñarles cómo hacer una suma difícil. inteligente.

La historia de Jack

Jack, de diez años, llegó de la escuela furioso porque su maestra le dijo "nunca escuchas".

Su madre está de acuerdo en que a veces es difícil conseguir su atención. Y cuando la logra, Jack parece divagar mientras se le habla.

Tiene buen oído para los sonidos y me pregunté qué estaría pasando con su oído "selectivo".

Le pregunté qué había motivado a su maestra a decirle eso. Lo había enviado a la oficina de la escuela por el sello escolar y él había vuelto con un sello de correos.

También fue el único en entregar una tarea incorrecta, pues no había escuchado con suficiente atención las instrucciones.

Antes yo había entrenado a un adulto que padecía lo mismo: tenía problemas para escuchar a la gente. Se le había ENSEÑADO a escuchar, mantener el contacto visual, etcétera, pero eso no le había funcionado. He aquí por qué: decir que alguien no escucha supone en sus habilidades un vacío que basta con llenar. No era el caso. Si alguien no escucha es que está haciendo otra cosa.

Mi trabajo consistía en descubrir su estrategia para "no escuchar". En el caso del adulto, le pregunté qué hacía EN VEZ DE ESCUCHAR.

Eso le intrigó. Hasta ese momento no era consciente de que hacía algo. Al pensar en ello se dio cuenta de que estaba pensando en todo lo demás que tenía que hacer ese día, memorizando las listas de cosas que hacer. Y al darse cuenta vio la opción de detenerse y comunicarse con sus colegas.

En el caso de Jack le hice la misma pregunta: "Cuando la maestra te da instrucciones, ¿qué haces en vez de escuchar?". Bueno, resulta que Jack hablaba consigo mismo casi constantemente.

A veces la gente llama a Jack un pensador profundo. ¿Qué es un pensador profundo? Es alguien que se hace preguntas y comenta sus acciones. Como no le sirve cuando alguien le habla, Jack necesitaba una estrategia para rechazar el diálogo interno.

Le pedí que imaginara que tenía un control remoto para activar el sonido de su propia voz en su cabeza. Lo utilizó de inmediato y le ha funcionado muy bien.

Historia de William

William está a punto de tomar su examen de violonchelo de grado 5. Le encanta tocar sus piezas, pero le cuesta mucho trabajo practicar las escalas. William es naturalmente musical y rápidamente aprende de memoria las piezas. Su madre siempre ha asumido que William es muy auditivo en sus procesos, porque puede tocar de oído una melodía después de escucharla.

William siempre ha practicado las escalas sin música, mediante el oído y el sentimiento.

Una noche su madre le preguntó cómo hace para tocar las piezas de memoria.

—Veo la música en una nube y allí la leo.

Ella había supuesto erróneamente que él recordaba el sonido de la música y la sensación de la digitación en las cuerdas. No es de extrañar que no pueda recordar las escalas.

Ahora pueden usar esta información para que aprenda y practique las escalas hasta que pueda "ver la escala en una nube".

Cuando empieces a interesarte en el funcionamiento interno de los pensamientos de tu hijo, prepárate para algunas respuestas extrañas. Cuando trabajo como guía o asesor (*coach*, como se le llama ahora), a menudo la gente se sorprende cuando se da cuenta de lo que piensa sobre ciertas situaciones. Ojalá recibiera dinero cada vez que un cliente dice: "Nunca me había dado cuenta de que pensaba en eso. ¿Crees que estoy loco?". (Mi respuesta es "No".)

Le pregunté a un niño de cinco años cómo le llegó tan rápido una respuesta de matemáticas. Tras una breve pausa me dijo que los hombrecitos verdes de su cabeza corrieron y le pusieron enfrente el número para que pudiera leerlo. Los hombrecitos verdes le resultan muy útiles, pero no recomendaré esa estrategia como una que podría ayudar con las matemáticas.

Alentar a los niños a interesarse en las estrategias de los demás.

Averiguar las estrategias exitosas de los niños es una excelente manera de aprender sobre el aprendizaje y lograr que los niños se interesen en cómo hacen las cosas los demás.

Estaba de vacaciones con unos amigos y me hallaba con cuatro niños sentados en un muro esperando que alguien se nos uniera. Para pasar el tiempo uno de los niños sugirió que hiciéramos unas sumas —aún estaban en la edad en que sumar y restar era novedoso—. Sorprendentemente, todos pensaron que era una gran idea, por lo que me puse a lanzarles por turno algunas sumas sencillas. Entonces sucedió algo que me sorprendió y me maravilló: uno de los niños preguntó a los demás cómo hacían la suma en la cabeza, y entonces procedieron a intercambiar sus estrategias para sumar. Y como los niños son curiosos por naturaleza, la conversación fue condimentada con: "¡Caramba!, no me gusta eso, yo lo hago así", "Veré si puedo hacerlo a tu manera".

Los cuatro niños compartieron sus estrategias y comenzaron a indagar cuál funcionaba mejor. Imagínate qué pasaría si eso ocurriera en las aulas de todo el país.

En el siguiente capítulo nos centraremos en las estrategias problemáticas; veremos ejemplos de cómo los niños crean problemas del pensamiento y cómo puedes encontrar información sobre el tema y ayudarles a poner orden.

CAPÍTULO 5

Es la forma de preguntarles: formular preguntas inteligentes

Si alguien quiere una demostración del poder y el valor de ser capaz de hacer preguntas, me gustaría recordarle la historia de Lindsay y su hija Corinne (p. 8). Quizá recuerdes que durante cuatro años Corinne sufrió ansiedad aguda, lo cual la hacía sentirse muy mal y a veces enfermar antes de ir la escuela. Finalmente el mal de Corinne cesó cuando vio al psicólogo de la escuela, quien descubrió la causa del problema mediante preguntas sencillas.

Lindsay, su madre, me dijo: "Es una pena, nada de lo que le dije provocó algo distinto". Cuando le indiqué que por lo general lo que decimos no es lo que marca la diferencia, sino lo que preguntamos, miró horrorizada. "Dios mío, tiene razón. Yo no sabía cómo averiguar".

Una de las habilidades clave de un padre inteligente es ser capaz de formular buenas preguntas y de eso trata este capítulo.

En el capítulo anterior nos referimos a la utilización de preguntas sencillas, pero eficaces, para saber lo que alguien quiere expresar; así podemos obtener más información, aumentar nuestra comprensión y evitar caer en suposiciones.

Esto es sólo una conjetura, pero es posible que alguna vez hayas tenido esta conversación:

Tú: ¿Cómo te fue hoy en la escuela?
Niño: Bien.
Grandioso. Todo el día en una palabra que nada describe.
¿No sería estupendo obtener una respuesta como ésta?:
—Jugué futbol y ganamos. Charlie se lesionó en el partido y lo llevaron a la enfermería. El almuerzo fue horrible,

otra vez verduras al vapor. Charlotte me invitó al cine, pero no quise ir. La lección de historia fue muy buena. Hicimos algunas cosas interesantes sobre los gladiadores y el profesor estuvo muy gracioso.

A veces, por supuesto, es perfectamente válido aceptar "bien" como respuesta, pero hay ocasiones en que es útil e importante saber qué hay detrás de lo que han dicho. Podemos utilizar las preguntas del capítulo anterior para descubrir más información, sencillamente preguntando "¿Qué significa bien?".

En este caso nos basaremos en aquellas palabras que forman la pregunta y no necesariamente lo que habíamos pensado preguntar.

Lo que sigue son las preguntas que te permitirán saber cómo está creando su problema tu hijo, y cómo puedes ayudarlo a pensar diferente.

Preguntas que desentrañan problemas y guían a los niños hacia lo que quieren

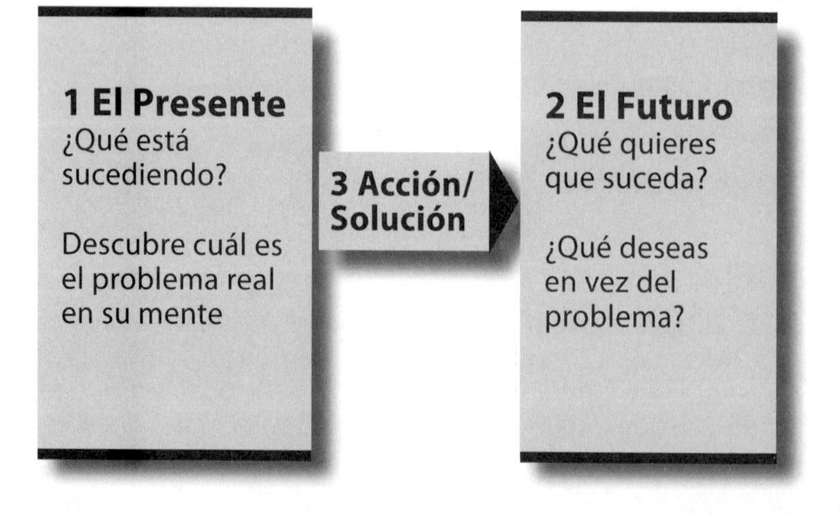

Los padres inteligentes ayudan a sus hijos a resolver sus propios problemas, en vez de ofrecerles soluciones. Lo logran haciendo preguntas que les ayuden a desentrañar el problema, antes de hacerles preguntas para averiguar qué quieren (no se centran en el qué sino en el cómo).

Los padres inteligentes ayudan a sus hijos a resolver sus propios problemas, en vez de ofrecerles soluciones.

Una vez que los niños obtienen claridad, tienden a ser capaces de proponer sus propias soluciones.

Nuestra tendencia particular con los hijos consiste en ofrecer soluciones o palabras de consuelo tan pronto como se menciona un problema, porque queremos ayudar.

—Estoy preocupado por mi examen, mamá.
—De verdad, vas a salir bien.
—Creo que no tengo ningún amigo.
—Claro que sí, no seas ridículo.

De manera automática decimos algo para que se sientan mejor, porque nos importan.

La cosa es que eso no funciona muy bien porque no cambia su manera de pensar.

No podemos ofrecer ayuda eficaz hasta que conocemos el problema.

A veces nos vemos totalmente perdidos, sin saber qué hacer para ayudar, porque lo que el niño dice nos deja sin habla.

Ben llega a casa y dice: "No sé qué hacer porque no quiero defraudarlos". Y uno se pregunta qué pudo decir para hacer sentir al niño tanta presión. Sabes que jamás has mencionado que podrías sentirte defraudado y te preguntas de dónde salió eso.

Tu hijo que alcanza grandes logros pero es muy sensitivo llega a casa y dice: "No creo que nadie se fije en mí." "¿QUÉ?", piensas con incredulidad. "¿Cómo puedes crees eso?"

—Creo que no tengo ningún amigo.

¿Cómo llegan a esta conclusión, cuando todas las mañanas al menos tres niños los esperan en la puerta de la escuela?

Los niños crean su propio sentido del mundo y a veces tú no lo entenderás.

Los niños crean su propio sentido del mundo y a veces tú no lo entenderás.

Saber cómo hacer preguntas penetrantes significa que siempre tendremos manera de ayudar. Y si continuamos utilizando esta estrategia, nuestros niños empezarán a aprender a enjuiciar sus problemas y pensarán en lo que quieren en su lugar.

La mayoría de los problemas son causados por pensar de determinada manera, y de eso hemos oído hablar mucho en un lenguaje como el de los ejemplos anteriores y los que siguen:

Saber cómo hacer preguntas penetrantes significa que siempre tendremos manera de ayudar.

—No puedo con las matemáticas.

—Mis amigos no quieren jugar nunca más conmigo.

—Estoy preocupado por mi prueba.

—Este fin de semana no quiero ir con la abuela.

—Simplemente no me gusta la escuela.

Organicé una vez un taller para gente de ventas cuyo propósito era dominar algunos nuevos procesos para abrir nuevos negocios. Al final del día, una mujer del grupo dijo: "Todo está muy bien, pero ellos no nos dejan hacer esto". Inmediatamente quise darle las razones por las cuáles sería capaz de implementar los cambios, pero me di cuenta de que hacer algunas preguntas sería mucho más eficaz.

Toni: Ellos no nos dejan hacer esto.
Yo: ¿Quiénes son "ellos"?
Toni: La gerencia.
Yo: ¿Quiénes son "la gerencia" que no te deja hacer esto?

Toni: (con timidez) Debbie.

Yo: Así que Debbie no te permitiría hacer esto. ¿Cómo sabes que Debbie no te lo permitirá?

Toni: No lo sé. Supongo que se lo podría preguntar.

Te habrás dado cuenta de que lo que estaba haciendo era formularle preguntas que pusieran al descubierto más y más de sus pensamientos detrás de su afirmación original. Para asegurarte de que tus preguntas consigan esto, necesitas mantener el interés en lo que debe estar detrás de la declaración, a fin de que tenga sentido para el individuo, pues le ha causado algún problema.

Veamos algunos ejemplos con niños.

Thomas

Cuando tenía unos seis años, Thomas llegó de la escuela una tarde y me dijo que las chicas de su clase jugaban solas en el patio de recreo.

Me dio más y más detalles acerca de sus juegos y echó a llorar. Yo estaba perpleja preguntándome cuál era el problema. ¿Cómo exactamente le afectaba el juego de las niñas? Las preguntas daban vueltas en mi cabeza: ¿Quería jugar con ellas? ¿Lo hacían a un lado? ¿Estaban siendo crueles con él? Sin embargo, estas preguntas no eran efectivas.

Utilizando el marco inteligente, tenía que centrarme en primer lugar en "El Presente". Tenía que averiguar qué estaba pensando que lo perturbaba.

Evidentemente en su pensamiento había una relación entre las niñas jugando solas y la molestia del niño, pero no era clara para mí. Me pregunté si habría una conexión que sólo las preguntas correctas podrían desentrañar. Le hice una pregunta que es muy efectiva cuando no está claro de qué manera lo que dice un niño lo afecta.

Yo: ¿El hecho de que las niñas jueguen solas es un problema para ti?

Thomas: Bueno, juegan sus propios juegos.

Yo seguía sin entender, así que pregunté de nuevo.

Yo: ¿Y por qué el hecho de que jueguen sus propios juegos es un problema para ti?

Lo que pasó después me sorprendió, aunque antes lo había visto varias veces en diversos contextos.

Mientras Thomas pensaba la respuesta, se dio cuenta de que no había ningún problema. Había desaparecido. Rápidamente pasó del malestar al desconcierto y se puso a hablar de otra cosa.

La historia de Laura

Laura tiene siete años y en la escuela ha sido promovida al grado siguiente. En su clase actual tiene buenos amigos. La escuela, como muchas otras, debe arrastrar a los niños cuando quiere moverlos a un grado superior, porque ellos saben que estarán en una clase donde verán caras nuevas.

Cuando Laura se entera de que estará en un nuevo grupo, se molesta. Sus padres tratan de averiguar por qué y entienden que está especialmente preocupada porque no estará con Betty, su íntima amiga. Suponen también que Laura tiene miedo de compartir un salón con niños más grandes, algunos de los cuales le parecen enormes.

Sus padres no saben qué hacer para ayudarla a sentirse bien en el próximo trimestre. Le dicen que hará nuevos amigos, que su maestra es hermosa, que los niños no son tan grandes y que no tiene nada de qué preocuparse.

Ella sigue perturbada.

En este punto sus padres aún no saben qué cree piensa ella que la tiene tan preocupada. Están adivinando.

¿Qué imagina Laura que va a pasar a consecuencia de

que su mejor amiga, Betty, no esté con ella? Sin conocer el contenido de lo que la niña imagina, tienen que adivinar las soluciones que esperan la tranquilicen.

Para intentar ayudarla, necesitan saber exactamente qué piensa ella que le causa el malestar.

Entonces, ¿cómo lo descubren? Ya le han preguntado qué es lo que la altera, lo cual es una buena manera de empezar el interrogatorio. (Evite preguntar: "¿Por qué estás contrariada?" Los niños —y los adultos— tienden a dar respuestas que generan poca información.)

Padres: ¿Qué te molesta de tu nueva clase?

Laura: Betty no estará conmigo.

En este momento, involuntariamente, por lo general comenzamos a leer la mente de nuestros hijos y tratamos de ayudar con frases como "No importa, harás nuevos amigos", etcétera.

La declaración: "Betty no estará conmigo" es sólo la información superficial bajo la que se encuentra la razón del malestar de Laura, sus pensamientos en forma de imágenes, sonidos y sentimientos.

A estas alturas te darás cuenta de que se trata de un ejemplo de ansiedad. En otras palabras, Laura sin duda estará imaginando cosas que le sucederán en la nueva clase, y eso es lo que no quiere que ocurra. ¿Qué está imaginando?

Estas son algunas preguntas que los padres de Laura podrían haberle formulado para obtener más información acerca de lo que está haciendo para crear su ansiedad:

—¿Qué crees que sucederá si Betty no está contigo?

O bien:

—Cuando imaginas que Betty no está contigo en la nueva clase, ¿qué pasa después?

Podríamos seguir preguntando: "¿Y luego qué sucede?", hasta tener una buena idea del problema.

Esto ocurrió cuando le preguntaron lo siguiente:

Padres: ¿Qué crees que sucederá si Betty no está ahí?

Laura: Bueno, no conozco a nadie.

Padres: ¿Y qué sucede cuando no conoces a nadie?

Laura: No tengo a nadie con quien hablar cuando hacemos los trabajos.

Así que Laura se siente mal no específicamente por la falta de Betty, sino porque piensa que no tendrá a nadie con quien hablar. Ahora sus padres saben qué necesita.

Laura está creando imágenes en su mente en las cuales está haciendo trabajos de manera solitaria.

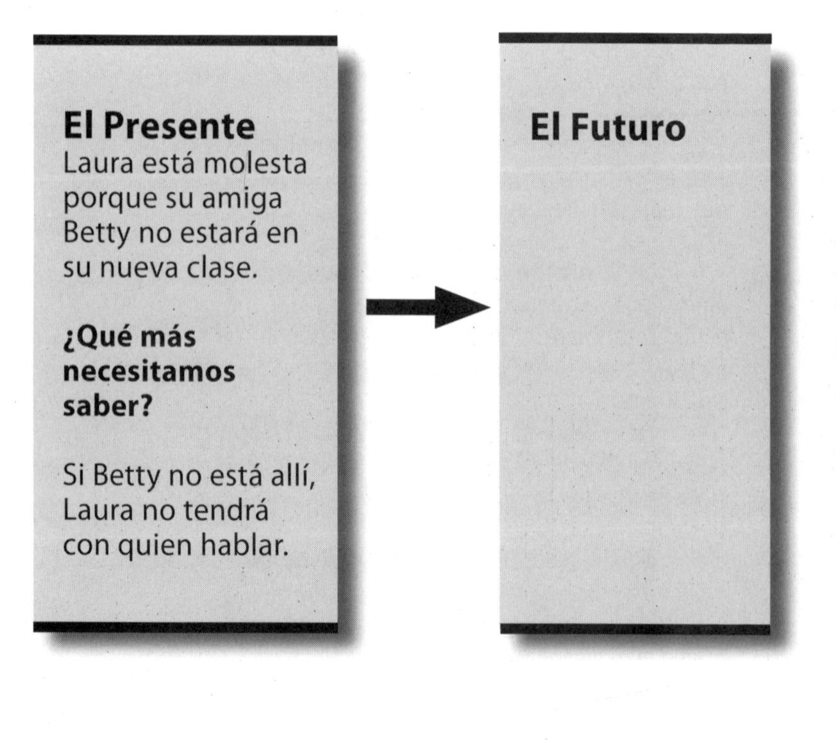

¿Qué desea entonces Laura? Quiere saber que habrá alguien con quien hablar cuando esté en el nuevo grupo.

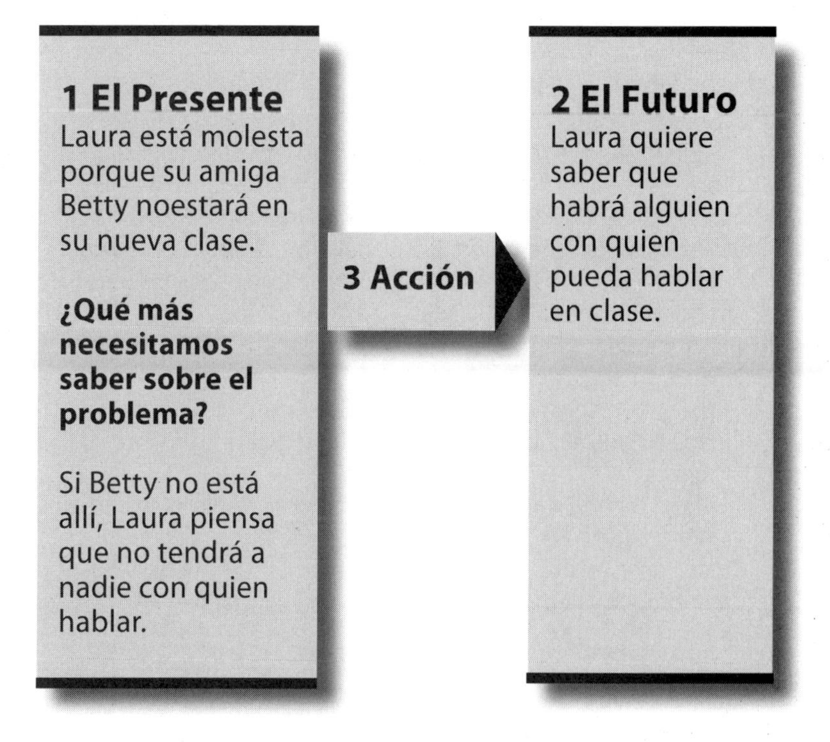

¿Qué acciones pueden realizar los padres para hacer esto posible?

Acción

Durante las vacaciones de verano la mamá de Laura organizó una serie de visitas para que su hija jugara con las niñas del nuevo grupo. Laura conoció a tres o cuatro niñas y comenzó el trimestre sintiéndose confiada.

Historia de Tom

A veces Tom es muy inseguro. Tiene seis años. Le encanta el futbol y está desesperado por unirse a un grupo de niños y adultos. Su madre, Pam, juega en ese grupo, pero aun así Tom no se une.

Ella sabe que él quiere jugar y conforme pasa el tiempo Tom comienza a llorar y entra en un estado negativo a la orilla de la cancha. Pam lo alienta en un primer momento y, tras asegurarse de que quiere participar, con palabras amables trata de persuadirlo de entrar al terreno de juego, le pregunta por qué no entra a la cancha. Todo en vano.

A medida que Tom se altera su madre empieza a molestarse con él. Como eso no funciona. Ella le dice que se controle o que se vaya, porque no quiere verlo llorar. Tom no juega futbol, su confianza se mantiene baja y su madre se molesta.

Pam ha intentado diferentes enfoques, ninguno ha funcionado y se halla molesta con Tom porque ya no supo qué más hacer. La situación la frustró. Después se sintió mal durante mucho tiempo.

En este ejemplo la frustración de Pam se vio agravada por su falta de experiencia en cuanto a la inseguridad. Nuestros niños tienen a veces personalidades muy diferentes de las nuestras o se comportan de una manera que no entendemos, que sencillamente no podemos relacionar con su comportamiento. Si no los podemos entender, será muy limitada la ayuda que podamos darles. En este caso, la madre de Tom es muy segura de sí misma y siempre lo ha sido. Simplemente no sabe lo que es sentirse como él.

Así, lo que necesitaba era saber que hacía Tom para sentirse inseguro. ¿Qué estaba haciendo que le impedía correr hacia el terreno de juego? Ningún tipo de persuasión, halagos o gritos lo haría ingresar a esa cancha de fútbol.

Pam: ¿Por qué comenzaste a sentirte así?

Tom: Vi que un muchacho grande se levantó a jugar.

Pam: ¿Y qué tenía ese muchacho que se levantó que te hizo sentir así?

Tom: Pensé que vendría hacia mí y me quitaría el balón.

Pam: ¿Y qué iba pasar si te quitaba el balón?

Tom: Se reiría de mí.

Pam: ¿Y qué pasaría si se reía de ti?

Tom: Me echaría a llorar y más gente se reiría de mí.

Ahora Pam sabe qué es lo que le causa ansiedad y le impide jugar futbol.

En este punto es útil repetir todo. A veces la repetición hace que los niños vean las cosas de manera diferente.

Pam: Bien, Tom. Cuando viste a ese muchacho grande entrar a la cancha, imaginaste que podría venir y quitarte el balón. Y entonces pensaste que se reiría de ti y tú llorarías y otra gente se reiría de ti.

Ahora que sabemos específicamente cómo se causa la ansiedad que le impide jugar futbol, tenemos una mejor oportunidad de ayudarlo a pensar de manera diferente. Tenemos la pieza que nos faltaba.

El siguiente paso en nuestro cuestionario es desafiar su realidad interna.

Pam: Tom, ¿cómo sabes que ese muchacho grande te iba a quitar el balón?

Tom: Bueno, podría hacerlo.

Pam: O no podría.

Tom: Supongo que sí.

Pam: Enfrentarse a otros es parte del futbol, ¿qué te hace pensar que la gente se reiría de ti?

Tom: No lo sé.

Pam ha creado en la mente de Tom dudas acerca de lo que él piensa que podría suceder.

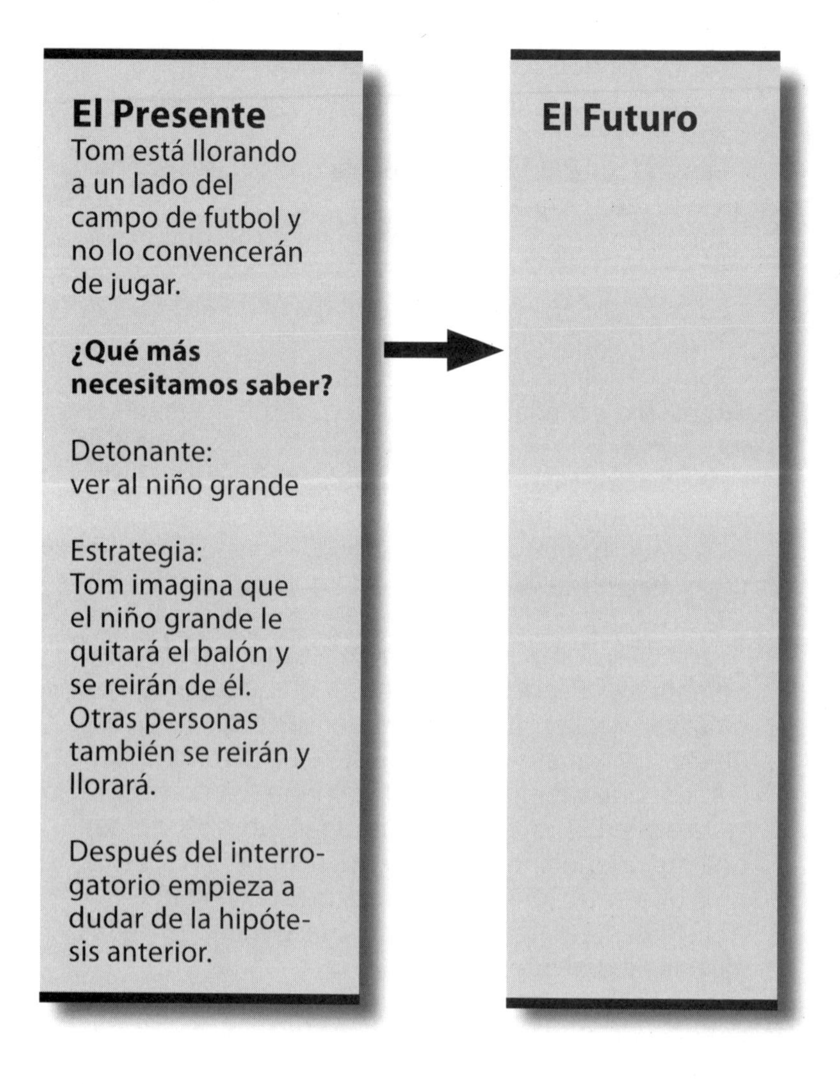

Ahora Pam puede empezar a preguntarle qué quiere
Pam: ¿Qué quieres, Tom?
Tom: Quiero jugar futbol con todos.
Pam: ¿Estás seguro?
Tom: Sí.

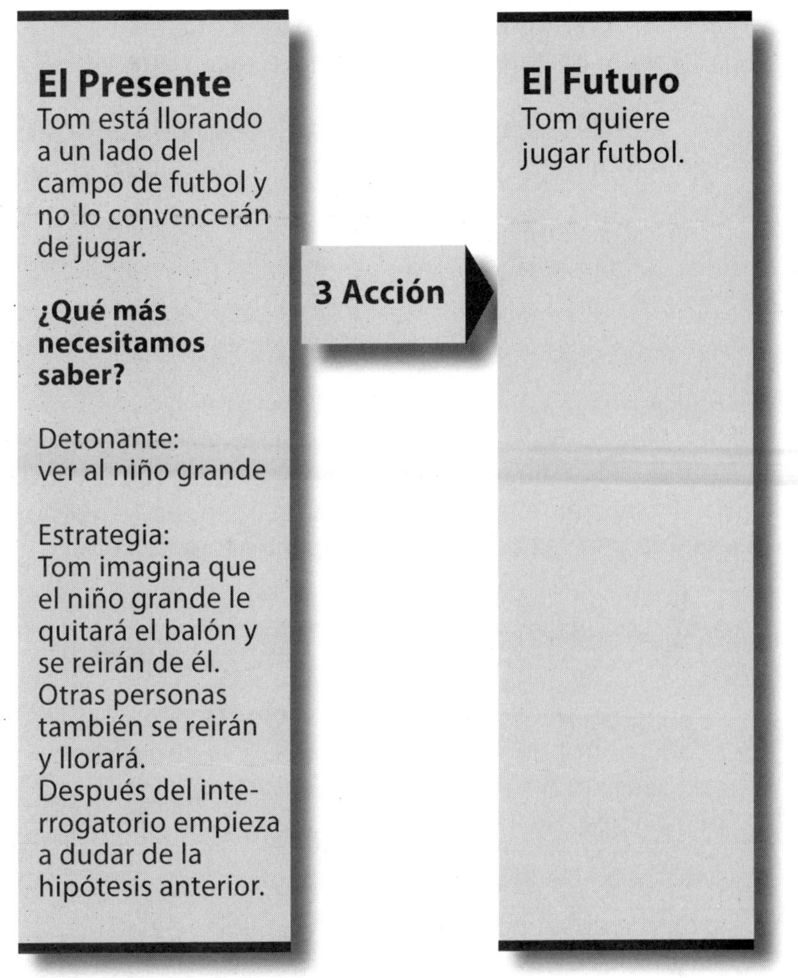

Pam estaba segura de que Tom quería jugar futbol, pero se lo impedía su representación interna del muchacho y lo que el muchacho podría hacerle.

Acción

Tenía que cambiar esa imagen. Pam creó un nuevo escenario para que Tom jugara en una película en su mente.

Pam: Tom, vamos a cambiar esa imagen que tienes en la cabeza para que puedas pasar un buen rato. ¿Qué dices?

Tom: De acuerdo.

Pam: ¿Puedes crear una imagen tuya corriendo a la cancha, enfrentando a uno de los padres y quitándole el balón?

Tom (sonriendo): Sí.

Pam: Sería bueno, ¿verdad?

Tom: ¡Sí!

Pam: ¿Qué otra cosa puedes imaginar que resulte divertida?

Tom: Podría tratar de anotar un gol.

Pam: Muy bien.

Pam se dio cuenta de que el estado de Tom había cambiado lo suficiente como para llevarlo al terreno de juego. Sabía que una vez que estuviera jugando todo iría bien.

DE NUEVO CON SUSAN E ISABELLA

Quizá recuerdes que a veces Isabella se frustra y pierde el control de su temperamento. El ejemplo concreto fue un día en que la familia iba a salir y ella se negó a vestirse. Lo que siguió fue un buen ejemplo de Susan enganchada al comportamiento de Isabella y tratando de detenerla. No funcionó y terminó con la madre perdiendo el control. En la página 39-40 nos centramos en Susan y en cómo podría minimizar el efecto de su pérdida de control. Vamos ahora a concentrarnos en cómo puede ayudar a Isabella.

Susan ha hecho un buen trabajo asegurándose de que Isabella entienda las consecuencias de sus berrinches y su efecto en otras personas; y han discutido lo que esperan del futuro de Isabella: que se vista rápidamente cuando se lo pidan y sin rabietas.

Entonces, ¿por qué Isabella sigue haciendo berrinches a la hora de vestirse?

La mala conducta de Isabella continúa porque Susan no tiene la pieza faltante de la estrategia interna con la cual Isabella entra en un estado así.

Ella no sabe qué es lo que causa las rabietas.

Así, aunque Susan está segura de lo que quiere —que Isabella deje de hacer rabietas y se vista bien— no sabe lo que Isabella necesita para detenerse. Una vez que conozca la causa de su frustración, podrán ponerse de acuerdo sobre el curso de acción.

Esto pasó cuando se dio cuenta.

Susan: En primer lugar, ¿qué te hizo enojarte tanto?

Isabella: Vi el cajón y no sabía qué ropa elegir.

Susan: ¿Así que no sabías qué ropa elegir?

Isabella: No.

Susan: ¿Cómo sabías que no sabías qué ropa elegir?

Isabella: No sé, simplemente no lo supe.

Susan: ¿Hiciste algún cuadro?

Isabella: No, ninguno.

Susan: ¿Tu mente estaba en blanco?

Isabella: Sí.

Susan: ¿Y entonces qué pasó?

Isabella: (frustrada) No lo sé. No sabía qué elegir.

¿Qué podemos deducir de este intercambio?

Susan se enteró de que ver la ropa era el detonante que hacía que Isabella se diera cuenta de que necesitaba tomar una decisión, y cuando Isabella sabe que debe tomar una decisión, su mente queda en blanco. No tiene una estrategia eficaz para tomar decisiones. Literalmente, a la hora de tomar la decisión tiene un espacio en blanco en la mente. Esto la frustra. Y mientras más se le somete a presión más se frustra.

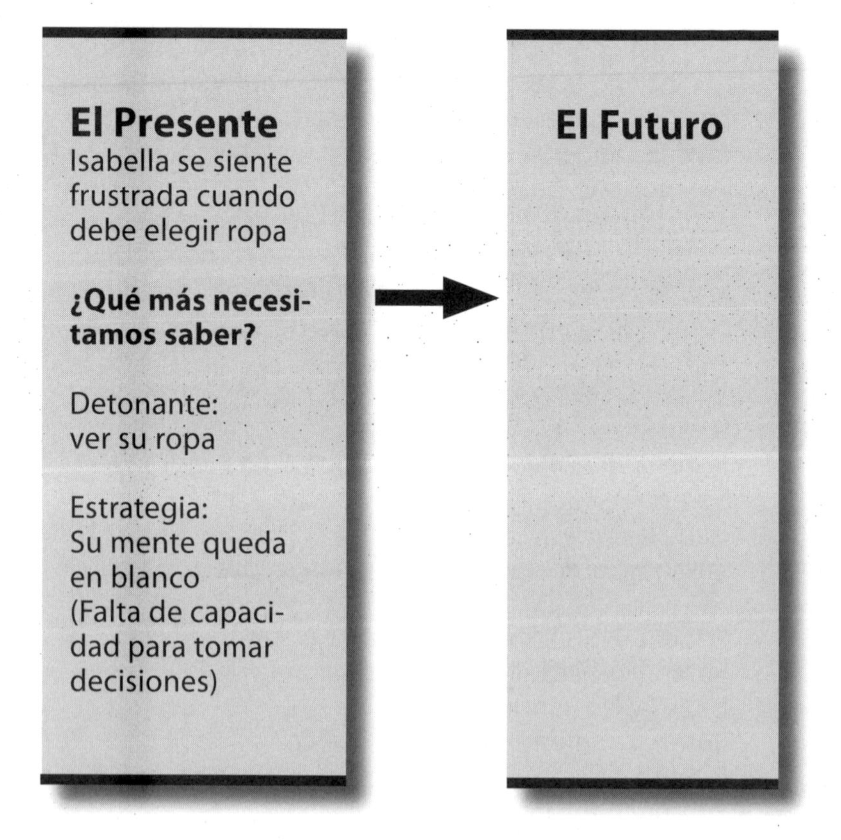

Entonces, ¿cuál es el acuerdo que encaja en "El Futuro"? ¿Qué necesita Isabella que signifique que no se sentirá frustrada y no hará berrinches?

Isabella necesita una estrategia para tomar de decisiones. Si la tuviera, eso interrumpiría su estrategia para hacer una rabieta.

Este es el resultado que acordaron:

Susan: Ya no quieres seguir haciendo berrinches, ¿verdad?

Isabella: No.

Nótese que la declaración de Susan está redactada en términos de lo que ella no quiere, por lo que necesita reformularla.

Susan: Vamos a pensar en lo que sería si te portaras bien cuando te pido que te vistas. ¿Puedes crear una imagen tuya tomando fácilmente una decisión y vistiéndote?

Isabella: Sí.

Susan: ¿Cómo serían las cosas si las hicieras así?

Isabella: Buenas.

Susan ha pedido a Isabel que ensaye mentalmente el resultado. Después podrá pedirle que piense en las consecuencias.

Susan: ¿Qué pasaría si te vistieras bien de esa manera?

Isabella: No te enojarías conmigo.

¿Qué te llama la atención en la respuesta de Isabel? ¿Cuál es su representación interna de las consecuencias?

Que Susan se molestaría. Si Susan quiere que Isabella se sienta obligada a cambiar su comportamiento, también tiene que haber consecuencias positivas.

Susan: Así, en vez de que me enoje contigo, ¿qué tendríamos?

Isabella: Estarías contenta conmigo.

Eso es una representación interna más útil. Susan puede dar este paso para conseguir una Isabella más conectada con la afirmación "Estarías contenta conmigo". He aquí cómo.

Susan: ¿Y qué sucede cuando estoy contenta contigo?

Isabella: Me gusta.

Susan: ¿Y qué más ocurre?

Isabel: Pasamos buenos momentos juntas.

Susan pasó algún tiempo haciendo "El Futuro" irresistible para Isabella.

Pasar por este proceso ayudó a Isabella a sentirse motivada para cambiar su comportamiento porque ensayó las consecuencias positivas de portarse bien. Así, ahora todo lo que resta a Susan e Isabella es ponerse de acuerdo con la acción, que consiste en aprender a tomar decisiones sencillas.

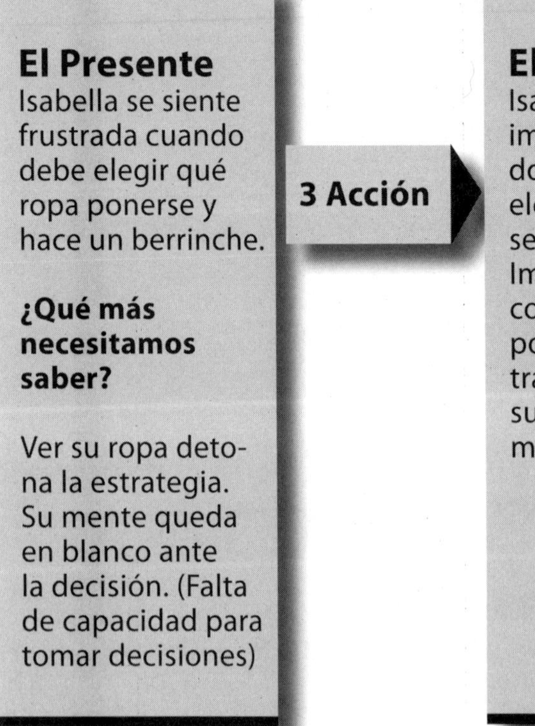

Acción

Susan e Isabella determinaron aprender buenas formas de tomar decisiones. Acordaron plantear un proyecto para que Isabella pudiera descubrir cómo toman las decisiones sus amigas y ver si era capaz de adoptar sus estrategias.

¿De qué le sirvió a Isabella el proyecto? Le exigió responsabilidad para cambiar su comportamiento y aprender algo nuevo. También la obligó a hacer preguntas a sus amigas acerca de sus estrategias, lo cual le enseñó a interesarse en los procesos internos de otras personas. Como un subproducto, Isabella aprendió acerca de cómo aprender, a pesar de que no poseía conocimiento consciente de ello. ¡Efectos secundarios sorprendentes!

La historia de Tara

Tenemos la suerte de ir de vacaciones con unos amigos casi todos los veranos. Este verano en particular, las hijas de nuestros amigos, Ella, Tara y Martha, tenían seis, cinco y dos años respectivamente. Las niñas y nuestros dos hijos son grandes amigos y todo fue muy emocionante para nosotros.

Una de las actividades que más gustaba a los niños era nadar todos los días en la piscina de la villa. Fue el primer año en que los cuatro mayores de edad se sintieron confiados en el agua. Podían pasar horas en el agua todos los días y disfrutarlo mucho. Les gustaba saltar e inventaron elaborados juegos cada vez más atrevidos. Todos desarrollaron su confianza e hicieron progresos fantásticos en la natación. Particularmente les gustaba saltar desde un lado de la piscina y fingían ser sirenas y delfines. Tuvimos un escollo. Tara, de cinco años, se negaba a saltar y a quitarse las bandas salvavidas de los brazos, a pesar de que en las clases de natación había hecho grandes progresos sin ellas. Se sentía cada vez más frustrada mientras observaba a los otros tres saltando y divirtiéndose mucho. Claire —la madre de Tara— y yo pudimos ver cómo esto la alteraba, mientras los otros niños querían que se les uniera.

Claire se exasperó al ver que no servían razones ni ofrecimientos de ayuda, y le preocupaba que Tara se estuviera perdiendo la diversión que sus amigos disfrutaban.

Me pregunté si podía hacer algo para ayudar. Teniendo en cuenta lo mucho que Tara quería jugar con los otros, me di cuenta de que algo muy poderoso ocurría en su mente y eso le impedía saltar.

Tara me conoce muy bien y, con el permiso de Claire, le hice algunas preguntas para averiguar qué pensaba. El resultado fue sorprendente: después de unas cuantas preguntas y una sugerencia, Tara saltó al agua antes de que yo tuviera tiempo de meterme a la piscina para sostenerla.

¿Cuáles fueron las preguntas? En primer lugar le pregunté si quería saltar como sus amigos. Yo estaba segura de que lo deseaba, pero como no me gusta suponer, quise escucharlo de sus labios. Ella dijo que lo deseaba, así que mi trabajo consistía en indagar qué la ponía tan ansiosa.

Yo: ¿Qué crees que podría pasar si saltas?

Tara: Bueno, creo que podría ahogarme.

Tara tenía una imagen de sí misma ahogándose si saltaba a la piscina. No me extrañó que no saltara. De hecho, es una decisión muy sensata no saltar si crees que vas a ahogarte.

Averiguar qué impedía saltar a Tara era la clave para descubrir por qué el estímulo y la persuasión no funcionaban. Seamos claros, ningún estímulo funcionará si tienes en la mente una imagen de ahogamiento.

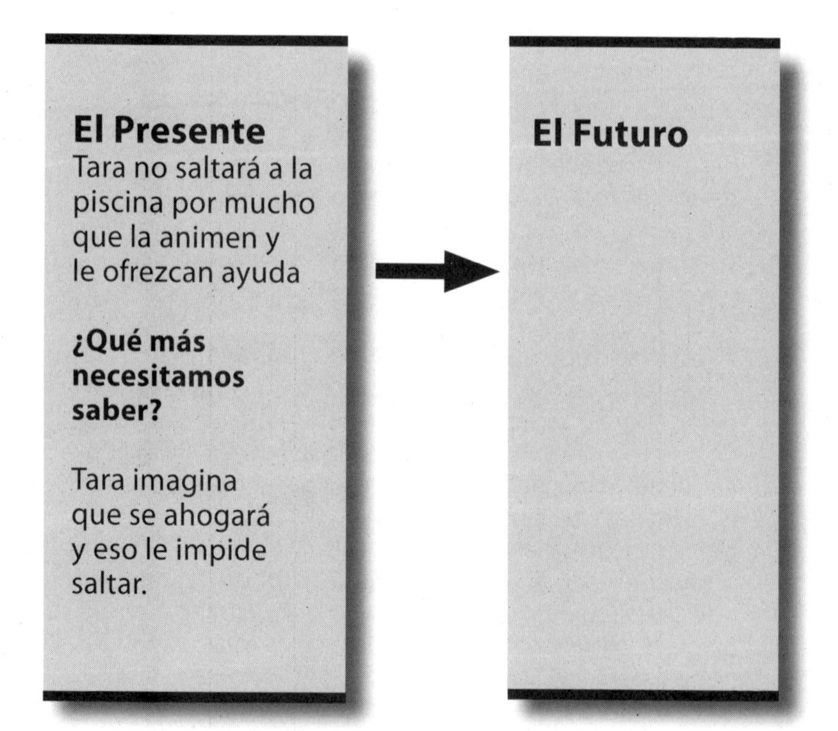

Yo sabía que Tara quería saltar porque al comienzo de nuestra conversación comprobé que tenía la motivación para hacerlo.

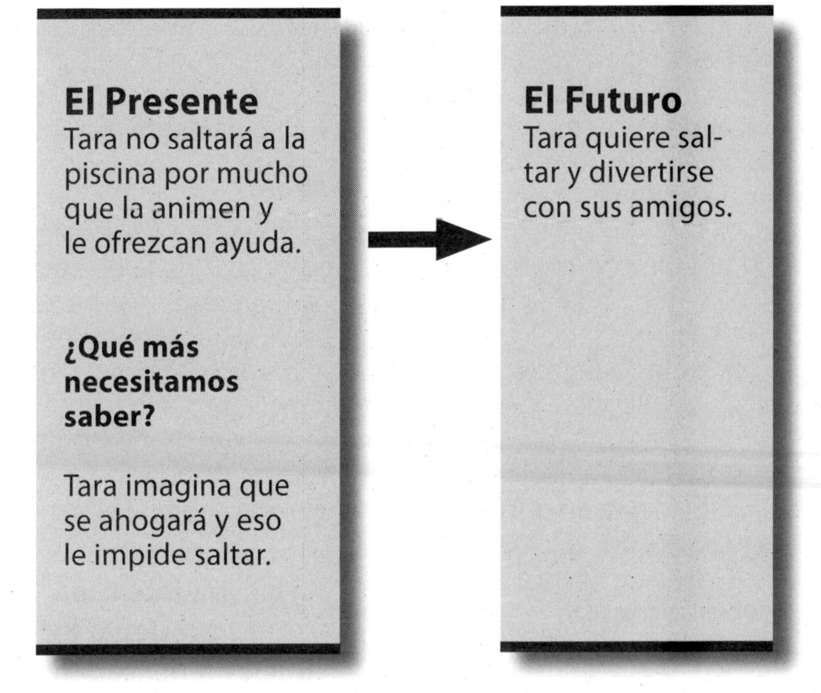

Acción

Una vez más, se trataba de un caso de bloqueo impuesto por su imaginación. Para cambiar su comportamiento, necesitaba ayudarla a cambiar sus pensamientos.

Así que le pregunté: "¿Puedes ver que tus amigos están saltando y no se ahogan?". Por supuesto que lo podía ver y la pregunta la hizo dudar de su propio miedo.

Era el momento de ayudar a Tara a crear una nueva imagen que la libraría de la ansiedad y le infundiría valor para saltar. Le pedí que se imaginara saltando y sintiéndose a salvo. Una gran virtud de los niños es que pueden crear imágenes al instante y sin vacilaciones. Le sugerí que cada vez que se dispusiera a saltar, elaborara ese mismo cuadro.

También le pregunté si le parecía útil que yo estuviera en el agua para sostenerla. Ella pensó que era una gran idea, así que me dispuse a entrar, pero Tara creó tan rápido la nueva imagen que cuando le pregunté si estaba lista saltó sin darme tiempo de entrar a la piscina. Una vez que lo hizo, no hubo manera de detenerla. Rápidamente obtuvo la prueba de que estaría bien y pasó un tiempo maravilloso con los demás.

Por último, imagina que tu hija llega a casa de la escuela y dice que nadie la quiere. Los niños se apresuran a hacer afirmaciones radicales de este tipo sobre sí mismos y debemos evitar que tales afirmaciones se instalen como creencias. Mi reacción instintiva ante afirmaciones semejantes sería decir inmediatamente: "¡Tonterías!", en parte como una reacción emocional hacia esa manera de pensar.

Al igual que en otros casos, tenemos que conocer el pensamiento de la niña detrás de esa declaración. La forma más sencilla consiste en preguntar: "¿Cómo lo sabes?". O: "¿Qué quieres decir con eso?"

Nuestra intención es averiguar lo que está pensando y no convencerlos de que están equivocados.

Recuerda que nuestra intención es averiguar lo que está pensando y no convencerla de que está equivocada. En ese momento, cuando dice que nadie la quiere, habla de algo real para ella. Y una vez que nos enteramos de su realidad interna, estaremos en posición de alentarla a pensar de distinta manera.

Jennifer: Ya nadie me quiere.

Madre: ¿Cómo sabes que nadie te quiere?

Jennifer: Mary y Elizabeth no me incluyeron hoy en sus juegos.

Madre: ¿Que Mary y Elizabeth no te hayan incluido en sus juegos significa que ya nadie te quiere?

En este ejemplo Jennifer ha asociado la experiencia de

que Mary y Elizabeth no la incluyeran en sus juegos con el siguiente significado de que ya nadie la quiere.

Nuestro mayor impacto lo conseguiremos poniendo en tela de juicio esa asociación. Si en el pensamiento de Jennifer logramos romper el vínculo entre el hecho de que Mary y Elizabeth no quieran jugar con ella y su idea de que eso significa que ya nadie la quiere, el problema dejará de existir en su forma original.

Consejos inteligentes

Usa el marco inteligente de pensamiento tanto como quieras para pensar los problemas de una manera lógica.

Pregúntate:

¿Qué puedo preguntarle?
¿Qué le está pasando a mi hijo?
¿Cuál es su estrategia para meterse al problema?
¿Qué otra cosa podría significar?
¿Qué le parecerá tan cierto para que diga lo que ha dicho?

Pregunta inteligente para los problemas

1 ¿Qué quieres decir con...?

Esta pregunta te permite saber lo que yace bajo la superficie de sus palabras. Es buena para aclarar y evitar suposiciones.

Niño: Quiero irme de aventura.
Padres: ¿Qué entiendes por aventura?

2 ¿Qué estarías haciendo si...?

Esta es una alternativa a la pregunta anterior y también puede ser usada para aclarar un significado.

Niño: Sólo quiero divertirme.
Padres: ¿Qué estarías haciendo si estuvieras divirtiéndote?

3 ¿Cómo sabes que...?

Nos causamos muchos problemas al adivinar lo que los demás están pensando. A menudo hacemos afirmaciones como: "Sé que tal y tal se molestará si no se lo digo...". Nos empeñamos en creer que conocemos la mente de otras personas.

Esta pregunta desafía a la persona a pensar en los hechos respecto al problema que dice tener.

Niña: Sophie ya no me quiere.
Padres: ¿Cómo sabes que Sophie ya no te quiere?

4 ¿Cómo es que... eso un problema para ti?

Si afirmamos que un problema no nos pertenece, será difícil resolverlo. Esta pregunta reconecta el problema con la persona y en consecuencia a veces el problema desaparece solo.

Niño: Las chicas siempre juegan solas en el patio de recreo.
Padres: ¿Y eso por qué es un problema para ti?

5 ¿Qué provocó que comenzaras a sentirte así? (Este es el detonante del problema.)

Si tu hijo está molesto, es más útil preguntarle cuál fue la causa que preguntarle por qué está enfadado.

Padres: ¿Qué fue lo que te molestó?
O bien:
Padres: ¿Qué sucedió justo antes de que te enojaras?

6 ¿Cómo fue que [la situación] provocó que te sientas así?

Se trata de una pregunta que sigue a la anterior cuando se necesita más claridad.

Padres: ¿Qué fue lo que te molestó?
Niña: Sally jugaba con Tom durante el recreo.

Padres: ¿Por qué te molesta que Sally juegue con Tom durante el recreo?

7 ¿Cómo es que [x] significa [y]?

Esta pregunta pone en duda la conexión entre una afirmación y otra.

Padres: ¿Qué fue lo que te molestó?

Niña: Sally jugaba con Tom durante el recreo.

Padres: ¿Por qué te molesta que Sally juegue con Tom durante el recreo?

Niña: Significa que ya no soy su amiga.

Padres: ¿Cómo es que si Sally juega con Tom en el recreo eso significa que ya no eres su amiga?

Sigue escuchando y practica estas preguntas. Cuanto más practiques más fácil te resultará y te darás cuenta de más cosas.

CAPÍTULO 6

Es la forma de decirles las cosas: el poder del lenguaje

No se trata, por supuesto, sólo de las preguntas que dirigen nuestro pensamiento, sino también de las afirmaciones.

Lo que dices es tan importante como lo que haces. En mi trabajo como entrenadora y guía, a veces me encuentro ayudando a mis clientes a sobreponerse a los mensajes que les fueron dados como hijos, a fin de que se sientan más positivos.

En mi infancia, decir que éramos buenos para algo se consideraba inmodesto o incluso jactancioso, y se desalentaba activamente. No parece muy educado pensar, y mucho menos decir, que eres bueno para algo. Sólo después de cumplidos los treinta años me permití decir que era buena para algo en concreto y además creerlo, a pesar de que la gente me decía una y otra vez que lo era. Creía yo que decir que era buena para algo era presuntuoso, a tal punto que me resultaba difícil decírmelo a mí misma.

Quiero que mis hijos desarrollen una imagen positiva y realista de sí mismos. No creo que debamos alabar a los niños por todo, porque pierden el contacto con la realidad. Hay una línea muy fina entre la confianza en uno mismo y el delirio de grandeza.

No hay más que ver en la tele los programas de busca talentos para encontrar ejemplos de jóvenes que tienen una visión distorsionada de su talento. Un productor, a mi juicio con razón, reprendió a una madre por dejar que su hija creyera que tenía talento para ganar una competencia de canto, y al final ver destrozados sus sueños e ilusiones.

Cuando nuestros hijos salen al mundo, no los ayudará pensar que son buenos para todo, igual que no los ayuda pensar que no sirven para nada. Quiero alimentar una autoconciencia realista de sus puntos fuertes y animarlos a desarrollar esos

No creo que debamos alabar a los niños por todo, porque pierden el contacto con la realidad. Hay una línea muy fina entre la confianza en uno mismo y el delirio de grandeza.

puntos y sus intereses con el fin de fomentar su confianza y autoestima.

Para lograrlo, para construir la confianza y la autoestima de nuestros niños, tenemos que ser conscientes del lenguaje que usamos.

Para construir la confianza y la autoestima de nuestros niños, tenemos que ser conscientes del lenguaje que usamos.

Por ejemplo, mi padre decía en broma que mi trasero parecía dos hurones combatiendo en un saco. Ahora me río mientras lo escribo, y por supuesto él pensaba que eso era divertido, pero no es nada inteligente decírselo a una adolescente (especialmente a una con un gran trasero). Las niñas cuentan con sus padres para sentirse bien. Y no es aceptable que tú, como padre, hagas comentarios despectivos de tu hija. Incluso si piensas que algo se le ve horrible. Me consterna escuchar padres criticando la apariencia de su hija para luego preguntarse por qué la falta de confianza.

En este capítulo veremos cómo nuestro lenguaje afecta el pensamiento, las acciones y las creencias de nuestros hijos acerca de sí mismos y de los demás. Nadie duda de la importancia del lenguaje positivo en todos los aspectos de la comunicación y de la facilidad con que instalamos creencias limitantes en los niños por el uso del lenguaje descuidado. Concretamente, aprenderemos a:

—usar un lenguaje que ayude a los niños a formar creencias útiles acerca de sí mismos y de los demás
—evitar el lenguaje tóxico y hacer sugerencias positivas
—usar un lenguaje que entiendan para que consigas lo que deseas

¿Qué son las creencias?

Las creencias son los pensamientos que dan forma a nuestra realidad. Son pensamientos que consideramos verdades. Hoy se acepta comúnmente que el 90 por ciento de las creencias de un niño sobre sí mismo se forman durante la infancia. Inquietante concepto.

Las creencias son los pensamientos que dan forma a nuestra realidad. Son pensamientos que consideramos verdades.

¿Cómo se forman las creencias? Mediante una combinación de experiencias y el ejemplo de personas que influyen en nuestras vidas. Piensa un momento si algún adulto te dijo algo que tuvo un impacto significativo y cambió tu forma de pensar acerca de algo. La mayoría de nosotros puede hallar al menos un ejemplo, negativo o positivo. Por eso, como adulto, es tan importante preocuparse por el lenguaje.

Algunas creencias son positivas y nos dan poderes, y otras nos limitan en mayor o menor grado. Tus creencias, fortificantes o limitantes, actúan como filtros.

¿Qué quiero decir con esto? Quiero decir que, dado que las creencias son tan poderosas y tan importantes para nosotros y para gran parte de los fundamentos en los cuales basamos nuestras vidas, tenemos personal interés en que sean AUTÉNTICAS.

Como resultado, siempre estamos en busca de la prueba de que es así. De hecho, de ser necesario eliminamos o distorsionamos las experiencias que poseemos si de alguna manera contradicen nuestras creencias en relación con esa experiencia. En otras palabras, filtramos nuestras experiencias para asegurarnos de que encajan en nuestro mapa de la realidad. En consecuencia, la filtración afecta nuestra forma de pensar acerca de la experiencia y también afecta nuestro comportamiento durante la experiencia.

¿Alguna vez has conocido a alguien que, después mostrar con claridad que es bueno para una tarea en particular, se niegue a aceptar la alabanza o el reconocimiento? "'Oh, fue un golpe de suerte". "La verdad es que no soy bueno en eso". Tengo una amiga que está absolutamente segura de que no es buena para las matemáticas y está muy confundida. Sin embargo, cuando vamos de compras y hay que realizar un cálculo, siempre tiene la respuesta antes que yo (que soy buena para las matemáticas). Con seguridad puedes apostar en favor de que es la manifestación de una creencia incorporada que incluso resiste la evidencia abrumadora de que tiene una base falsa.

En la cotidianidad escuchamos a la gente expresar sus creencias:

—Oh, yo no podría hacer eso...

—Nunca debes...

—Lo mejor es siempre...

—La gente no cambia...

Nuestras creencias son estables en el tiempo porque constantemente, pero de manera inconsciente, buscamos pruebas de que son verdaderas.

Nuestras creencias son estables en el tiempo porque constantemente, pero de manera inconsciente, buscamos pruebas de que son verdaderas.

El **Ciclo de las Convicciones** demuestra el impacto que las creencias tienen en nuestro comportamiento.

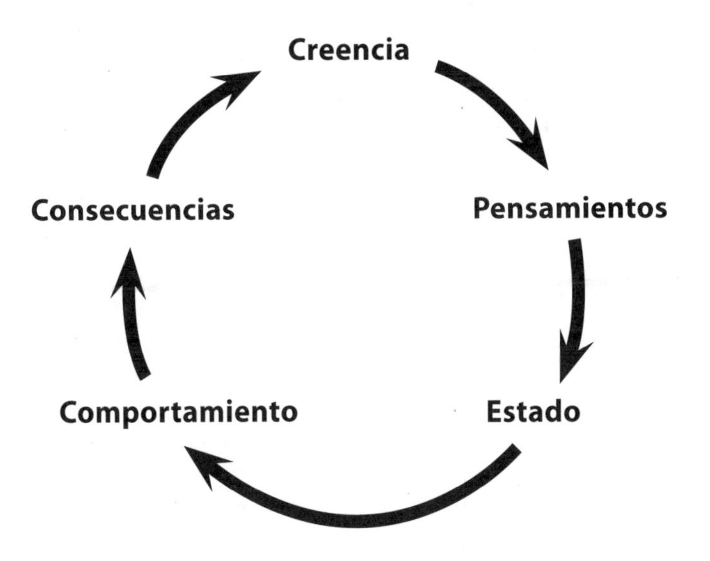

Por ejemplo:

He trabajado con un montón de adultos que creen que no son buenos para hablar en público.

Aquí tenemos lo que es probable que ocurra cuando se les pide hacer una presentación.

CREENCIA
No soy bueno para las presentaciones.

PENSAMIENTOS
Oh, no. Ojalá alguien haga esto por mí. Lo odio. Será horrible.

ESTADO
Nervioso, ansioso, con mariposas en el estómago.

COMPORTAMIENTO
Si durante la presentación estás nervioso, es probable que evites el contacto visual, hables en forma veloz y entrecortada, respires con rapidez y muestres falta de compromiso con el público y falta de confianza en tu mensaje.

CONSECUENCIAS
La audiencia se desconectará y percibirá que careces de confianza y le falta convicción a tu mensaje.

Como resultado, tu creencia de que no eres bueno para las presentaciones se verá reforzada.

Las consecuencias de nuestro comportamiento están en línea con nuestras creencias, y demuestran que estábamos en lo correcto al abrigar esa creencia.

Con frecuencia nos referimos a esto como una profecía autocumplida. Si estás convencido de que todos los propietarios de pequeñas empresas tratan de timarte cada vez que llevas el auto a un taller o vas a un restaurante, enviarás todo tipo de señales de que no confías en el personal o en el lugar, y entonces te darás cuenta de que la gente hará por ti el mínimo necesario. Y en el peor de los casos se empezarán a sentir como si te timaran.

Del mismo modo, si crees que tus hijos nunca harán lo que les pides, toda tu atención estará en la idea de que no harán lo que pediste. ¿Y adivina qué?

Intentemos averiguar cuáles son tus creencias y si te funcionan.

Las consecuencias de nuestro comportamiento están en línea con nuestras creencias, y demuestran que estábamos en lo correcto al abrigar esa creencia. Con frecuencia nos referimos a esto como una profecía autocumplida.

Ejercicio

¿Cuáles son tus creencias sobre ti mismo como padre?

¿Cuáles son tus creencias acerca de tus hijos?

¿Qué pruebas tienes que las respalden?

¿Son útiles y te fortalecen, o te limitan de alguna manera?

Escucha a las creencias de tus niños sobre sí mismos y sobre los demás, de modo que puedas ayudarlos a formar creencias que les resulten útiles y los fortalezcan cuando sean adultos.

Los niños forman las creencias sobre sí mismos y sobre los otros sacando conclusiones de sus experiencias. Unen una experiencia, incluyendo lo que se les dice, a un significado que crean en sus mentes. Algunas de sus creencias los fortalecerán y otras los limitarán o resultarán perjudiciales. Lo bueno es que, así como somos propensos a formar creencias limitantes, somos sensibles a las sugerencias positivas para creer en algo más útil.

Nuestro cerebro es un órgano fenomenalmente poderoso que apenas empezamos a comprender. Desde la década de 1950 ha sido bien documentado que el cerebro registra todos los hechos de nuestras vidas. Lo cual, por supuesto, incluye los mensajes verbales que escuchamos —incluso cuando no prestamos atención— y que van directamente a nuestro inconsciente.

Los mensajes a nuestros hijos son una forma de hipnosis. Es decir, el lenguaje es tan poderoso que si oyen algo con suficiente frecuencia, consciente o inconscientemente eso se convertirá en verdad para ellos.

Los mensajes a nuestros hijos son una forma de hipnosis. Es decir, el lenguaje es tan poderoso que si oyen algo con suficiente frecuencia, consciente o inconscientemente eso se convertirá en verdad para ellos.

Tomemos como ejemplo a los padres que hablan negativamente de sus niños al alcance de los oídos de los chicos, como si ellos no se vieran afectados, a menos, claro, que les hablen directamente. Estoy segura de que la mayoría de la gente ha oído una conversación así:

Amigo: Qué buenos hijos tienes
Madre: Créeme, no son buenos en absoluto, generalmente se portan mal.

¿Qué mensaje obtendrán estos niños de tal intercambio?

A veces un niño sólo necesita escuchar algo una vez para que eso se convierta en creencia.

Toma en cuenta el muy triste pero verdadero ejemplo que sigue.

La historia de George

Esto sucedió en la década de 1930 a un amigo de mi abuelo. George tenía siete años y era hijo único. Era un devoto de su padre y se bebía sus palabras. Disfrutaban su mutua compañía y mantenían una estrecha relación.

Un día el padre le dijo: "Vamos, George, sube a lo alto de la escalera, salta y yo te atraparé". George tenía un poco de miedo, pero le gustaba saltar de la escalera, por lo que cuando su padre lo animó y le prometió que estaría allí abajo, estuvo de acuerdo.

—Vamos, George, aquí estoy —dijo su padre.

George se armó de valor y saltó.

Al saltar, su padre se hizo a un lado y George aterrizó en el suelo. Confundido y lastimado, George miró a su padre.

—Tómalo como una lección, George. Nunca confíes en nadie.

Pobre George. ¡Qué manera brutal de formarle una creencia!

¿Qué pasó con George? Creció sin confiar en nadie. Siempre andaba en busca de gente en la que no pudiera confiar y se involucró con más seres poco confiables que cualquiera de sus colegas. Las creencias se perpetúan por sí mismas y gastamos mucha energía en demostrarnos a nosotros mismos que tenemos razón.

La historia de Sarah

Sarah tiene 14 años. Vino a verme porque tenía dificultades en la escuela, cosa poco usual. Dos áreas causaban preocupación a los profesores y a sus padres:

1 Era capaz de resolver con facilidad problemas matemáticos complejos y sin embargo se equivocaba en los problemas fáciles de esa materia.

2 Su inglés, que solía ser excelente, había desmejorado en los últimos años.

Empecemos con las matemáticas. Cuando tenía siete años le dijeron que no era buena para las matemáticas. Ciertamente las encontró difíciles y se formó una creencia basada en la experiencia: "Las matemáticas son difíciles". Tenía tantos problemas con las matemáticas que cuando llegó a la escuela secundaria empezó a recibir lecciones extra y eso la llevó de vuelta a lo básico. Trabajó muy duro para mejorar sus cálculos y todo empezó a encajar en su sitio, con excelentes resultados.

¿Cómo es que ahora se las arregla para resolver los problemas difíciles y no puede con los sencillos? He aquí cómo. Tiene tan arraigada la creencia de que "las matemáticas son difíciles", que cuando está frente a un problema "difícil" le parece bien, pues eso confirma su creencia. Como ha puesto al día sus habilidades matemáticas gracias a las clases extra, resuelve el problema cuidadosamente.

Sin embargo, cuando está frente a un problema que parece sencillo, se dice a sí misma: "No puede ser tan fácil". Y piensa: "Si no es tan fácil, la respuesta que parece obvia no puede ser la respuesta correcta". Y procede a tratar de obtener otra respuesta que resulta equivocada. Así de poderosas son las creencias.

Descubrí un patrón en las cosas que ella me decía. Es una alumna inteligente, cosa que nunca ha estado en cuestión. Sin embargo, una y otra vez le han dicho que "tiene problemas". Como resultado, cada vez que se enfrenta, en cualquier materia, con una pregunta simple que tiene una respuesta obvia, le resulta imposible aceptar la sencillez y asume que, dado que ella "tiene problemas", la respuesta debe ser compleja. Entonces no puede responder porque no tiene idea de cuál puede ser la respuesta alternativa. El hecho es que no hay otra respuesta porque la pregunta de verdad es simple.

Lo creas o no, Sarah sólo tenía que hacerse esta sugerencia positiva:

"La próxima vez que algo te parezca fácil, bastará con que te digas: ¡Genial, esto es simple!". La propuesta tenía sentido para ella. Y como resultado constató que sin saberlo saboteaba su trabajo escolar. Saberlo le permitió dejar de hacerlo y confiar en que cuando piensa que algo es muy sencillo, tiene razón.

Algo similar sucedía con su inglés. Le habían diagnosticado años atrás una forma de dislexia, a pesar de que no tenía problema alguno con la lectura, la escritura y la ortografía. Durante el diagnóstico se le dijo que "no visualizaba". Ella aceptó el diagnóstico del experto, como lo hacemos casi todos, y por lo tanto cree que no visualiza.

Créanme, hasta cierto punto, todo el mundo visualiza.

Creer que no se visualiza es como una instrucción al inconsciente para que no preste atención a las imágenes mentales. Para todo tipo de actividades, como la comprensión y la escritura creativa, es esencial prestar atención a esas imágenes.

No concederles atención, incluso en un nivel inconsciente, significó para Sarah la disminución de la capacidad de escribir. Durante nuestra reunión me di cuenta de que visualizaba mucho, y se lo hice ver. Quedó asombrada por ese pedazo de conciencia de sí misma. Le sugerí que durante algún tiempo se permitiera soñar de día y observar las imágenes que le vinieran a la mente. Quedó emocionada ante esa perspectiva.

Todas las personas de autoridad guardan una posición en la que sus palabras pueden tener un impacto importante en la vida de los jóvenes; **todos**: padres, maestros, médicos, especialistas.

Como adultos **debemos** tener en cuenta las posibles consecuencias de los mensajes que enviamos a nuestros hijos.

Estos son algunos ejemplos de las afirmaciones que deben llevar una clara advertencia y ser evitadas:

"Nunca serás bueno en el arte".

"Tu hermana es la bonita, pero tú tienes cerebro".
"Nunca serás una cantante".
"Eres el payaso de la clase".
"Las niñas no necesitan una buena educación".
"Eres igual que yo: la oveja negra de la familia".
"No visualizas".
"Es tu forma de ser".
"En esta familia no somos buenos para las matemáticas.

Por supuesto, el impacto de este tipo de declaraciones en un niño depende en gran medida de la personalidad del niño. Todos hemos escuchado historias de personas que recibieron mensajes negativos acerca de sí mismos, luego se pasaron media vida refutando esas declaraciones y acabaron teniendo gran éxito

Hace unos años conocí a una persona que poseía un negocio grande. Nos dijo que la razón por la que tuvo éxito se debió a un comentario que su director le había hecho cuando esta persona tenía diez años. Una mañana se hallaba manteniendo abierta la puerta para algunos maestros. Entonces entró el director, se volvió hacia el muchacho y le dijo: "Eso es casi para lo único que siempre serás bueno, para abrirle la puerta a otras personas". En ese momento él niño supo que tenía que probar que el director se equivocaba.

Esta historia pudo tener un final diferente. No podemos confiar en que los comentarios imprudentes propicien un final feliz.

Por otra parte, a mi padre le dieron un mensaje: "No importa cómo te vaya en la escuela, hay un trabajo esperándote". Podría pensarse que se trata de un mensaje positivo, sin embargo tuvo un impacto negativo sobre mi padre porque él no puso interés en lo que hacía en la escuela. Ahora se pregunta cómo habría sido su vida de trabajo si lo hubiesen alentado a hacer las cosas bien a pesar de que de cualquier forma lo esperaba un trabajo.

Lenguajes como éste contribuyen a que los niños formen creencias sobre sí mismos.

También debemos ser conscientes del "nivel" en que nos dirigimos a nuestros hijos. Cuando hablamos con nuestros hijos, sea que tratemos de reforzar su buen comportamiento o lograr que cambien lo que están haciendo, tenemos opciones en cuanto al "nivel" en que nos dirijamos a ellos. Por ejemplo, podemos abordar la cuestión en el nivel de su identidad: "**Eres** una buena chica", o en el nivel de su comportamiento: "'Te comportaste maravillosamente durante la fiesta".

Es muy importante hacer esta distinción y tenemos que ser conscientes de los efectos de hablar con un individuo en el nivel de su identidad o de sus creencias en vez de hacerlo en el del comportamiento.

He aquí un ejemplo:

Jonnie causa problemas en el aula. Lanza clips a los escritorios de otros, hace reír a los demás en la clase, no se concentra sino unos minutos, hace muecas a la maestra.

Considera el impacto de las siguientes afirmaciones:

"Jonnie, eres un grosero", es una afirmación de la identidad: lo que es Jonnie. Es una afirmación generalizada con la que Jonnie puede identificarse y empezar a vivir de acuerdo con ella.

"Crees que puedes hacer lo que quieras en la clase, ¿no?", es una declaración en el plano de las creencias: lo que cree Jonnie acerca de su papel en la clase.

Es una declaración sumamente inútil por varias razones. En primer lugar, es una suposición poco fiable por improbable. En segundo lugar, Jonnie puede decidir que es una buena manera de pensar y de nuevo vivir de acuerdo con ella.

"Eres un alborotador." Una vez más, es una afirmación de identidad.

Etiquetar a los niños de manera negativa ("él es el malo"), permanece; los seres humanos somos increíblemente buenos para vivir de acuerdo con las etiquetas. Se convierten en profecías autocumplidas.

En las páginas 133 y 134 encontrarás ideas de cosas útiles que podrías decirle a Jonnie y de hecho a cualquier niño.

La Zona Ámbar

Un hijo adoptivo de un joven amigo acababa de comenzar la escuela. Tenía cuatro años.

Su hijo había tenido una vida difícil hasta que se unió a la nueva familia, a los tres años. Comprensiblemente, presentaba problemas de conducta. Jane se esforzó en darle una vida familiar amorosa y solidaria y en ayudarlo a ponerse al día en el lenguaje y las habilidades sociales.

Durante las dos primeras semanas de clases el niño se enzarzó en riñas con sus compañeros de clase. La escuela tenía un procedimiento de disciplina que manejaba diferentes zonas de color en el aula. Si el niño se portaba bien lo sentaban en la zona verde, lo trasladaban a la zona ámbar si se portaba mal y de persistir el mal comportamiento lo ponían en la zona roja.

Como resultado de sus peleas había sido trasladado a la Zona Ámbar. Después del traslado, cada día por lo menos uno de sus compañeros de clase le decía: "Eso significa que eres un niño malo".

Pensemos en ello.

Este proceso funciona bien con los niños que no quieren que el maestro y los otros niños piensen mal de ellos. Tales niños pueden tener ya un buen control de su comportamiento y ven las zonas como un disuasivo para el mal comportamiento y una motivación para el buen comportamiento.

Este tipo de niños probablemente se comporte bien la mayor parte del tiempo.

Este proceso funciona también con los niños mayores, para quienes las correcciones públicas y el etiquetado son elementos de disuasión. De hecho, Jane me dice que esta situación está tan arraigada, que algunos niños mayores envían a sus padres a la zona ámbar en casa (así como algunos niños piden a sus padres no fumar o cuidar el agua, como lo han aprendido en la escuela). Si esto es algo que se establece, la mayor parte de los niños mayores puede hacerle frente.

Sin embargo, ¿qué utilidad puede tener este proceso para un niño de cuatro años? ¿Qué tan útil le resulta al niño que sus compañeros y el sistema escolar, en sus primeras tres semanas en la escuela, lo califiquen de malo?

¿Qué te parece lo que sigue como ejemplo de lenguaje confuso?

Pensar en este uso del lenguaje hace que mi cerebro se sienta como una coliflor. No sólo porque el etiquetado de

Historia de Elizabeth

Alicia llevó a su sobrina Elizabeth al colegio el primer día de un nuevo trimestre. Elizabeth tenía siete años en ese momento y la consideraban muy inteligente. Por primera vez la clase iba a ser dividida en dos grupos y Elizabeth quedó en el primer grupo. Cuando llegaron al salón de clases había dos mesas grandes con rótulos en ellas. Un rótulo decía MESA FÁCIL y el otro MESA DIFÍCIL.

¿En cuál debería sentarse Elizabeth? ¿En la mesa FÁCIL, porque para ella el trabajo era fácil? ¿O en la DIFÍCIL, porque les darían trabajos más difíciles que al otro grupo?

Alicia se enteró de que, como lo sospechaba, Elizabeth se sentó a la mesa DIFÍCIL. Lo que tampoco la sorprendió fue que la niña no se hallara especialmente satisfecha sentada allí. Dijo que no quería hacer un trabajo difícil porque no estaba acostumbrada a encontrar difícil el trabajo. Estaba confundida porque normalmente el trabajo le resultaba fácil. Entonces, ¿por qué tenía que estar en la mesa DIFÍCIL? Pensó que debía estar sentada a la mesa FÁCIL.

las mesas es increíblemente confuso. ¿Qué mensaje se está dando a los niños y qué conclusiones sacarán acerca de sus capacidades?

Los niños son muy literales en cuanto al significado y a todo le encuentran sentido. De la confusión sacarán un significado a fin de que tenga sentido. ¿Y qué significados hallarán los niños en ese salón de clase?

Sólo podemos conjeturar, pero algunos podrían ser:

Ser inteligente significa encontrar un trabajo difícil.

¿Por qué encuentro difícil el trabajo si la mesa dice FÁCIL? Sin duda soy estúpido.

¿Por qué tengo que hacer un trabajo difícil simplemente porque lo hago rápido? Iré despacio para estar en la mesa fácil.

Estoy segura de que quien colocó esos rótulos no quiso confundir a nadie.

Cuando los niños crecen siguen identificándose con las etiquetas que les fueron asignadas y sus opciones se limitan. Esto es lo que quiero decir: "No puedo evitarlo, es mi forma de ser". Tan pronto como alguien cree que cierta manera de comportarse es parte de su personalidad, supone que no puede cambiar. Conozco personas señaladas en la escuela como bravucones que siguen comportándose así en el trabajo, bien entrada su vida adulta. Cuando empiezan a pensar en su comportamiento como un comportamiento intimidatorio y no como parte de su personalidad, crean la posibilidad de cambio. Si quieres, puedes cambiar tu comportamiento, ¿o no?

Cómo evitar el etiquetado

Dando a los niños un mensaje negativo respecto de lo que hicieron, sobre su comportamiento, y no acerca de lo que son. "Echarme la basura de tu sacapuntas es una tontería", es muy diferente de "eres un tonto".

Volvamos a Jonnie. Estos son algunos comentarios sobre el comportamiento que podríamos usar: "Jonnie, estás distrayendo a los demás niños. Los haces reír y no se pueden concentrar".

Consideremos la diferencia en estas afirmaciones:

IDENTIDAD		COMPORTAMIENTO
Eres un acosador	vs	Estás acosando a Fred
Es muy malo	vs	A veces se porta mal

Dar a los niños mensajes respecto de su identidad les dará facultades.

"Eres amable", refuerza un acto de bondad, por ejemplo.

Como en todo lo demás, es importante pensar en las posibles consecuencias de cualquier afirmación que estés a punto de hacer.

Cómo poner en duda las afirmaciones limitantes de tu hijo antes de que se conviertan en creencias

Tú puedes ayudar a tus hijos a no formar creencias limitantes poniendo en duda las afirmaciones que hagan sobre sí mismos y sobre otros y que consideres inútiles.

Los niños aparecen con alarmantes afirmaciones radicales que deben ser cortadas de raíz.

"No sirvo para nada".

"Si no puedo hacer esto es porque soy tonta".

"Ya no quiero a Henry porque no hace bien las cosas en la escuela".

Con lo que aprendiste en este Capítulo 6, tienes las preguntas para desafiar estos enunciados.

1 "No sirvo para nada."

¿Qué quieres decir con eso de que no sirves para nada?

¿Por qué, si no eres bueno para esto, dices que no eres bueno para nada?

2 "Si no puedo hacer esto es porque soy tonta".
¿Cómo es que no ser capaz de hacer *esto* te convierte en tonta?

3 "Ya no quiero a Henry porque no hace bien las cosas en la escuela".
¿Por qué decides no querer a Henry sólo porque no hace bien las cosas en la escuela?

El siguiente paso es hacer una propuesta positiva que les proporcione la prueba de que su afirmación no es verdadera.

1 "No sirvo para nada".
¿Qué quieres decir con eso de que no sirves para nada?
¿Por qué, si no eres bueno para esto, dices que no eres bueno para *nada*?
Sugerencia positiva: Pensemos en todas las cosas que haces bien. Eres bueno para...

2 "Si no puedo hacer esto es porque soy tonta".
¿Cómo es que no ser capaz de hacer esto te convierte en tonta?
Sugerencia positiva: No lo puedes hacer porque AÚN estás aprendiendo.

3 "Ya no quiero a Henry porque no hace bien las cosas en la escuela".
¿Por qué decides no querer a Henry sólo porque no hace bien las cosas en la escuela?
Sugerencia positiva: ¿Crees que si no haces algo bien la gente no te va a querer? Por supuesto que no. Equivocarse al hacer las cosas es parte del aprendizaje, y tú y Henry están aprendiendo.

Cómo lograr que tus hijos hagan lo que les pides

Usar un lenguaje positivo es una manera eficaz para conseguir que los niños entiendan lo que se espera de ellos y crezcan como niños felices y con confianza en sí mismos. No se trata simplemente de endulzarles las cosas.

El lenguaje negativo está presente en todo nuestro entorno, incluso cuando se usa con buenas intenciones.

"Deja de pelear. Deja de gritar. No camines por el pavimento. Ten cuidado de no caerte. No discutas con tu hermana".

En el Capítulo 2 dijimos que nuestras mentes no pueden procesar el "no". La negación sólo existe en el lenguaje, no en la experiencia.

Cuando le dices a tu hijo: "No te bajes de la acera", tiene que realizar un proceso sofisticado para comprender el sentido. El niño inmediatamente se imaginará caminando debajo de la acera y luego se dirá a sí mismo que no debe hacerlo.

Aún tiene en la mente su imagen caminando debajo de la acera, lo que significa que inconscientemente presta atención al hecho de caminar por el pavimento en vez de permanecer en la acera.

Considera esto de nuevo:

No podemos dejar de pensar en lo que no queremos pensar, sin que primero hayamos pensado en ello.

Nuestra intención al decir a nuestros hijos que no se bajen de la acera es mantenerlos seguros. Una manera mucho mejor de mantenerlos seguros es decirles lo que queremos que hagan: "Quédate en la acera". Tan pronto como les damos una instrucción de este tipo, se imaginan en la acera. La idea de caminar debajo de la acera ni siquiera les cruza la mente.

Poner las instrucciones en un lenguaje positivo, diciendo lo que quieres que hagan los niños, les facilita el cumplimiento.

Las diferencias en las afirmaciones que siguen son de gran alcance:

Imagina, mientras las lees, que a ti te dan estas instrucciones.

"No veas el trabajo de los demás"	vs	Concéntrate en tu trabajo"
"No pelees en el campo de juegos"	vs	"Juega bien con tus amigos"
"Deja de dar lata"	vs	"Siéntate tranquilo"
"Nadie trate de escaparse"	vs	"Permanezcan juntos"
"No olvides tu tarea"	vs	"Recuerda tu tarea"

¿Cuántas reglas escolares se enuncian de este modo? Revisa el reglamento escolar de la escuela de tu hijo. ¿Cuántas de las normas "no hagas esto" podrían expresarse como "haz esto otro"?

Con qué frecuencia te escuchas diciendo: "Te acabo de pedir que no hagas eso, ¿por qué lo hiciste?". Ahora sabes la respuesta. Involuntariamente, al usar enunciados en lenguaje negativo, plantamos ideas en las mentes de nuestros hijos.

El escritor de obras infantiles Roald Dahl deja esto en claro en el siguiente pasaje de *La medicina maravillosa de* George:

—Voy de compras al pueblo —dijo la madre de George a George la mañana del sábado—. Así que sé buen chico y no hagas diabluras.

Siempre será una tontería decir eso a un niño. George inmediatamente se preguntó qué clase de diablura podría perpetrar.

Y la hizo. A fin de comprender la petición de su madre, George tenía que pensar en travesuras y crear imágenes de lo que eso significaba para él. Luego de pasar revista a algunas ideas, se halló de humor para hacer diabluras.

La noche pasada mi hijo llegó de la escuela y se dio cuenta de que había olvidado su tarea. Resultó que las últimas palabras que el maestro había dicho eran: "¿Quién cree que olvidará su tarea?". Perfecto. Apuesto a que mi hijo no fue el único.

Consejo inteligente:
La clave es pensar siempre: ¿Qué quiero que imagine mi hijo?

Historia de Fiona

Una tarde vinieron a casa tres niños y hubo un interesante "momento de lenguaje". Dos tenían ocho años de edad y uno tenía seis años.

Comenzaron a jugar con el grifo exterior y la regadera. Huelga decir que sospeché que se empaparían y sus contrariados padres se los llevarían mojados a casa. "No se mojen", les dije, y básicamente me ignoraron, ni siquiera uno levantó la mirada, continuaron jugando como si nada.

Al instante me di cuenta de que había utilizado el temido "no". Esperé unos segundos y esta vez, enfatizando el enunciado, dije: "Chicos: MANTÉNGANSE SECOS".

Me miraron fijamente, conectados conmigo. Y me escucharon.

—¿Podemos ir a jugar en el interior? —sugirió entonces uno de ellos, y dejó caer la regadera.

¡No podía creerlo!

Escuchar al entrenador del equipo deportivo de tu hijo también es interesante.

¿Sus instrucciones dicen qué hacer en la segunda mitad del partido o qué no hacer? ¿Habla de lo que no deberían haber hecho (lo cual los hace sentir desmotivados) o los elogia por lo que hicieron bien (lo cual los motiva a hacer las cosas bien)?

Lo que pasa es que no nos damos cuenta del impacto de nuestras palabras.

Cuando replanteamos las instrucciones y establecemos lo que queremos que imaginen, los niños cumplen con mayor facilidad.

¿Cuántas veces has oído a los padres decir: "Le he pedido una y otra vez que no lo haga y sigue haciéndolo"?

Tim y yo nos hemos visto haciendo esto con frecuencia:

Hannah en una bicicleta: "Hannah no vayas tan rápido al llegar a la esquina".

¡Uy! Lo que quise decir fue: "Hannah, reduce la velocidad al llegar a la esquina".

"¡Thomas, no te interpongas en su camino!". Mejor: "¡Thomas, mantente lejos y a salvo!".

La diferencia es clara. Cuando a Thomas se le dio la instrucción: "¡no te interpongas en su camino!", no se movió. Tan pronto como Tim cambió a "¡Thomas, mantente lejos y a salvo!", se movió.

Cuando replanteamos las instrucciones y establecemos lo que queremos que imaginen, los niños cumplen con mayor facilidad.

Cuando replanteamos las instrucciones y establecemos lo que queremos que imaginen, los niños cumplen con mayor facilidad.

¡He perdido la cuenta del número de padres y maestros que me han dicho que este conocimiento y el cambio de lenguaje han modificado sus vidas!

No siempre es fácil hacer estas dos cosas. Se requiere práctica. Hace poco estábamos con unos amigos cuya hija saltaba a la piscina antes que se hiciera a un lado el niño que saltaba delante de ella. Su padre le decía: "No saltes cuando Tom todavía esté allí, es peligroso". Lo dijo una y otra vez sin éxito. Tuvimos una charla en torno a eso y él pensó en dar la instrucción de manera diferente. Lo sorprendió lo difícil que era dar con una frase alternativa. Finalmente dijo: "Antes de saltar asegúrate de que el espacio esté libre". La niña empezó a comportarse de manera diferente.

Por supuesto, a veces es razonable señalar lo que los niños no deben hacer, siempre y cuando también se les dé la instrucción de lo que deben hacer.

Ejercicio

Durante la siguiente semana, cuando des instrucciones a tus hijos, escucha tu lenguaje y el lenguaje de los que te rodean. Si oyes que alguien da una instrucción negativa, observa su efecto y las veces que la instrucción debe repetirse para obtener el efecto deseado.

Si te descubres dando una instrucción negativa, detente y construye de nuevo la frase.

Cómo utilizar en otros casos el Poder de sugerir

En los capítulos anteriores he hablado de la cuidadosa elección de las preguntas en función de lo que deseamos que nuestro hijo piense. También hemos considerado la importancia de preguntarle a tu hijo (y preguntártelo tú) para que piense lo que quieres, no lo que no quieres.

Lo mismo se aplica a otro tipo de sugerencias, algunas de las cuales no son intencionales. Cuando hablamos con alguien, la persona tiene que formar imágenes en su mente para entender lo que queremos decir. Y sabemos que lo que pensamos tiene un gran impacto en cómo nos sentimos y por lo tanto en nuestro comportamiento.

Tan pronto como decimos la palabra "nervioso" a un niño que está a punto de presentar un examen, él piensa que está nervioso. Incluso si le dices: "No te pongas nervioso" (recuerda que nuestra mente no puede imaginar el "no"). Probablemente el niño ya se siente nervioso y será mucho más útil hacerle una sugerencia para que se sienta confiado.

Examina la diferencia entre estos dos maestros al abordar un nuevo tema:

1 "El siguiente tema es muy difícil. Sólo los más listos lo entenderán de inmediato".
2 "El tema siguiente es algo que nunca hemos visto, pero nos apasionará cuando todos lo entendamos".

¿Cuál dirías tú que es la diferencia entre estas afirmaciones?

El primer maestro ha creado un estado en el cual los niños tendrán que centrarse en lo difícil que será entender el tema.

El segundo profesor ha creado un estado de interés en los niños, incorporando el supuesto de que todos comprenderán el tema y resultará apasionante.

Unas cuantas palabras pueden hacer una gran diferencia.

Es muy útil ser capaz de valerse de las palabras para sugerir un resultado positivo y proporcionar a los hijos un día espléndido.

La pregunta que debes hacerte es: ¿Cómo quiero que mi hijo se sienta después de hablar con él?

En el capítulo siguiente veremos cómo usar el lenguaje para ayudar a tu niño a aprender con facilidad y a estar motivado.

Consejos inteligentes

- Piensa en tus creencias en cuanto a ti y a tus hijos.
- Da tus opiniones negativas en forma de afirmaciones sobre el comportamiento y no sobre la identidad.
- Reflexiona cuidadosamente antes de ponerle una etiqueta a un niño. ¿Le dará poder o lo debilitará?
- Escucha las afirmaciones limitantes de tu hijo acerca de sí mismo y de otros.
- Desafía con preguntas las afirmaciones limitantes y aporta sugerencias positivas.
- Reconoce el lenguaje positivo y el negativo de los demás.
- Transforma las instrucciones negativas en instrucciones positivas.

CAPÍTULO 7

Cómo ayudar a tu hijo a aprender mejor, más rápido, más fácil

Los padres inteligentes saben cómo alentar a sus hijos para que aprendan, les ayudan a sacar lo mejor de la escuela y continuar aprendiendo a lo largo de su vida.

Considerando que nos guste o no somos modelos a seguir, nuestra actitud hacia el aprendizaje y las creencias que tenemos sobre el aprendizaje tendrán un enorme impacto en la actitud de los niños hacia el aprendizaje y por lo tanto en su capacidad de aprender cosas nuevas.

Consejo inteligente

Si deseas ayudar a tu hijo a obtener el máximo rendimiento de su tiempo en la escuela, y en su vida, anímalo a pensar de la siguiente manera sobre el aprendizaje:

- siempre se puede aprender algo de cualquier situación, no importa cuán familiar sea
- si alguien puede aprender algo, tú puedes aprenderlo también
- avanzar en algo es más importante que hacerlo bien
- hay que aprender de los errores en vez de pensar que se ha fracasado
- siempre seremos capaces de más

Cómo ayudar a tus hijos a aprender

Nosotros, como padres, tenemos la responsabilidad de apoyar el trabajo escolar de nuestros hijos ayudándolos a aprender en casa. También debemos darnos cuenta si las cosas no funcionan tan bien como podrían y debemos ser capaces de mantener conversaciones constructivas con los maestros y demás personas que pasan mucho tiempo con nuestros hijos.

La educación de nuestros niños es un esfuerzo conjunto de padres y maestros, por lo que para aportar un apoyo activo necesitamos entender cómo se aprende.

Lo que necesitas saber sobre el aprendizaje:

Para verdaderamente aprender tu hijo tiene que:

- Estar motivado para aprender
- Hallarse en estado positivo cuando aprende
- Ser capaz de conectar el nuevo aprendizaje con algo que ya conoce y con la vida real

Mantener a nuestros niños motivados para aprender

Piensa en la última vez que elegiste aprender algo nuevo. ¿Qué fue lo que te motivó para empezar a aprender?

¿Te interesaba el tema? ¿Te inspiró alguien? ¿Qué importancia tuvo para tu vida? ¿Cuáles fueron las consecuencias positivas del aprendizaje? Quizá sólo pensaste que sería divertido.

Para aprender algo es vital estar motivado. Si un niño —o un adulto— se aburre o no está motivado, no aprenderá. Podemos apoyar la motivación de nuestros niños para aprender mediante sencillos e importantes procedimientos.

Consejos inteligentes para a motivación

- Habla con ellos acerca de lo que les interesa
- Muéstrate entusiasta con sus intereses (aun si te matan de aburrimiento)

- Muéstrate entusiasta e interesado en el aprendizaje: es contagioso
- Observa y refuerza las cosas a las que responden positivamente
- Observa qué temas hacen que se les ilumine la cara
- Anímalos a probar cosas nuevas
- Propicia que tomen conciencia de las consecuencias positivas de aprender algo

Conocí a una mujer, Ann, en un taller en San Francisco. Ella me contó cómo se las arregló con la experiencia negativa de su hija con una nueva maestra de segundo grado. La señora Johnson era una maestra que enseñaba mediante refuerzos más negativos que positivos. Debo decir que quedé muy sorprendida por aquello —¡hablamos del siglo XXI!

La hija de Ann, de ocho años, responde mal a los refuerzos negativos porque para ella es importante que a la maestra le guste su trabajo y le guste ella.

Procura esforzarse cuando la animan y aprecian su trabajo.

Cuando sólo recibe refuerzos negativos, reacciona desentendiéndose, porque "nada de lo que hagamos le va a gustar a la maestra, así que no voy a intentarlo". Como resultado, pronto no le gustó ir a la escuela.

Ann manejó la situación de manera inteligente. Preguntó a su hija: "¿Cuáles son las tres cosas más importantes para la señora Johnson?"

—Un escritorio ordenado, no hablar en clase sin antes levantar la mano y escribir con limpieza.

Ann le pidió que se concentrara en cumplir esas tres cosas durante una semana y luego hablaran. Al final de la semana su hija se veía mucho más feliz. La señora Johnson no le había hecho ningún comentario negativo; a decir verdad, le había insinuado una alabanza.

Ann fue a ver a la señora Johnson una noche de padres. No hizo comentario alguno acerca de la infelicidad de su hija. Sin embargo, al final de la reunión Ann se acercó a ella y le dijo: "Sólo para que lo sepa, si quiere que mi hija haga lo mejor que puede y realice un esfuerzo adicional: responde muy bien a las alabanzas. Trabaja duro de verdad cuando sabe que la aprecian. Sólo para que lo sepa".

Así, poco después la señora Johnson comenzó a escribir comentarios positivos en el cuaderno de tareas de la niña.

Muy pronto la hija de Ann vivió mucho más feliz y la señora Johnson es "la mejor maestra que ha tenido".

Qué fantástica intervención de Ann. No hubo críticas a ninguna persona. Lo único que hizo fue averiguar cómo su hija y la señora Johnson podrían obtener lo mejor de cada una de ellas y orientarlas a ese fin. inteligente.

Historia de Floyd

Mi marido, Tim, dirigía una organización dedicada a ayudar a encontrar empleo a jóvenes con dificultades de aprendizaje significativas. Esto involucraba la enseñanza de las habilidades sociales y técnicas necesarias en una amplia gama de oficios. Floyd era uno de esos jóvenes. Era un pequeño y frágil muchacho de dieciséis años que se las había arreglado para transitar por el sistema educativo sin que el mismo haya tenido efecto aparente en él.

Floyd era en gran medida analfabeto y no sabía realizar operaciones aritméticas. A consecuencia de las intimidaciones, sufría un extraordinario grado de comportamiento defensivo, de modo que era casi incapaz de comunicarse verbalmente, excepto con sus compañeros. Un día Floyd enfermó y su supervisor, Ken, lo llevó a casa.

Floyd estaba tan agradecido que, sorprendentemente, invitó a Ken a su casa y le preguntó si le gustaría ver su habitación. Ken no pudo dejar de observar que las paredes estaban cubiertas de piso a techo con carteles de motocicletas y en el piso había montones de revistas de motos.

En ese momento Ken se dio cuenta de la motivación de Floyd. Le pidió que llevara sus revistas —que no podía leer— y le diseñó un programa de alfabetización y operaciones aritméticas relacionado con las motos.

Seis meses después Floyd podía calcular el costo de la gasolina necesaria para llevar una Yamaha 600cc de Londres a Newcastle y volver, hazaña nada despreciable de habilidad matemática. Y seis meses más tarde por primera vez obtuvo empleo de tiempo completo en un almacén de partes de vehículos.

La historia de Floyd es dramática, pero hasta cierto punto lo mismo sucede cada día en las escuelas.

Un amigo mío inteligentemente puso a su hijo a leer, diciéndole que si quería construir un tanque del juego Warhammer[1] tendría que leer él mismo las instrucciones. Fue difícil para el muchacho pero, como deseaba hacerlo, lo hizo, construyó el tanque sin ayuda. Su interés por la lectura se incrementó gracias a esa experiencia positiva.

Historia de Charlotte

En la escuela Charlotte se distrae con facilidad. Se da cuenta de todo lo que sucede a su alrededor, los árboles que se agitan fuera de las aulas, la gente que habla, cualquier cosa. Esto tiene un efecto importante en su aprendizaje y en su trabajo escolar.

Cuando empezó a tomar clases extra, su maestra notó que no tenía noción de las consecuencias de no concentrarse. Se lo habían explicado varias veces, pero Charlotte no lo asumía. La maestra, mediante sus movimientos oculares, su fisiología

[1] Es un juego de miniaturas de estrategia ambientado en un universo futurista en el que se mezclan elementos de la ciencia ficción con la fantasía heroica, situado en el año cuarenta mil de nuestra era. http://www.warhammeronline.com/index.php

y haciéndole preguntas, se dio cuenta de que la niña hablaba sola todo el tiempo y, por supuesto, no escuchaba las instrucciones o las explicaciones del profesor. Su canal auditivo estaba saturado por la conversación consigo misma.

La maestra, valiéndose del canal visual y el cinestésico y eludiendo el canal auditivo, decidió mostrarle las consecuencias de no concentrarse. Equiparando la construcción del conocimiento con el levantamiento de un muro de ladrillos, le mostró cómo se realiza el aprendizaje. Cuando había colocado unos cuantos ladrillos, mostró a Charlotte lo que ocurriría si su concentración se detenía en ese punto, creando un vacío en el muro.

Luego pidió a Charlotte que imaginara qué sucedería si intentaba poner más ladrillos en la parte superior del agujero en el muro.

—Oh, no. El muro entero se vendría abajo.

Charlotte inmediatamente se dio cuenta de las graves consecuencias que, en relación con su aprendizaje, le traería distraerse.

Esta comprensión de las consecuencias significó que su motivación para concentrarse en las lecciones aumentara de manera espectacular.

Cómo mantener a los hijos en un estado positivo para el aprendizaje

El estado emocional tiene un impacto enorme en el aprendizaje. Recuerda que el estado afecta el comportamiento.

Es muy importante que los niños, cuando estén en la escuela, se hallen en un estado positivo para aprender. Los sentimientos negativos inhiben el aprendizaje y los sentimientos positivos lo aceleran. Recuerdo que en la escuela las lecciones que mejor aprendí fueron en su mayor parte las que el maestro de alguna manera hizo divertidas, desafiantes y disfrutables.

Los niños aprenden bien cuando:

Son curiosos
Están abiertos a nuevas ideas
Están motivados
Son tranquilos
Son felices
Están cómodos
Están emocionados
Se sienten comprometidos
Son desafiados

Los niños no aprenden bien cuando:

Están aburridos
Están nerviosos
Están estresados
Tienen ansiedad
Se sienten temerosos
Les falta confianza
Están en un entorno competitivo en exceso
Se hallan en estado negativo

Ansiedad y miedo de fracasar

En mi trabajo aparecen a menudo adultos que no hacen preguntas en el ambiente de aprendizaje por temor a parecer estúpidos. Yo solía ser así.

Y hay muchos que no responderán a una pregunta a menos que sepan que lo harán correctamente.

El miedo a verse o a sonar estúpido inhibe el aprendizaje.

Seamos claros, no hay tal pregunta estúpida. Cualquier pregunta significa que estás tratando de imprimirle sentido a algo, y eso significa que estás aprendiendo.

Consejo inteligente

Todas las preguntas son buenas. Debes animar a tus hijos a hacer preguntas siempre.

Como padres, debemos alentar a nuestros hijos a hacer preguntas y a que siempre se sientan bien al respecto. Si nuestros hijos van a crecer y han de convertirse en adultos seguros, deben recibir el mensaje de que si no obtienen una respuesta correcta no habrá problema, pues se puede seguir buscando la respuesta.

Cuando aprendemos es más importante intentar algo que hacer lo correcto. Tenemos que desafiar a los maestros y demás adultos que no tienen esta actitud y hacen que los niños se sientan mal por hacer las cosas mal.

Los niños aprenden cuando se sienten seguros y confiados y cuando pueden construir sobre el éxito. Los niños no aprenden cuando se encuentran una situación amenazadora.

La ansiedad inhibe el aprendizaje, incluso cuando el niño está motivado para aprender.

Ya he mencionado cómo nos fabricamos un estado de ansiedad; construimos la idea de que las cosas irán mal o fallarán de alguna manera. Si estamos preocupados por el fracaso, nuestra atención se centrará más en no fallar que en la tarea que tenemos enfrente. Además, el estado de ansiedad libera en nuestro sistema sustancias químicas que inhiben nuestra capacidad de pensar y por lo tanto de aprender.

Si estamos preocupados por el fracaso, nuestra atención se centrará más en no fallar que en la tarea que tenemos enfrente.

Historia de Anne

A Anne le falta un año para obtener su certificado de educación secundaria. Anne es muy elocuente en la clase, pero cuando se le pide que escriba en los exámenes no puede poner las palabras en el papel. Se monta en un estado de ansiedad y en consecuencia no piensa con claridad. Cree que tiene algo malo en la mente y eso impide que escriba sus pensamientos con claridad, y esto mismo contribuye a la ansiedad.

Cuando logré averiguar su estrategia para entrar en ese estado, encontré lo siguiente:

1 Se siente ansiosa antes de entrar al examen, pues cree que le resultará difícil.
2 A continuación observa el papel y se dice: "¡Oh mi Dios, tengo que llenar ese pedazo de papel!".
3 Entonces mira a su alrededor y ve a los demás escribiendo y dice una y otra vez: "Tengo que empezar a escribir".

Como resultado, no logra acceder a los recuerdos que necesita para resolver el examen, porque su mente está saturada por la conversación consigo misma.

No hay nada malo en su mente. Sólo necesita aprender a acceder a un estado positivo cuando presenta un examen.

¿Cómo podemos ayudar a nuestros hijos a internarse en estados positivos?

Maneras de ayudar a tu hijo a entrar en un estado positivo para el aprendizaje

1 MEDIANTE PREGUNTAS

Provocar un estado positivo en una persona es fácil si sabes qué preguntas hacer y si te hallas en un estado que te permita usar el ingenio. Un amigo mío que después de estar en uno de nuestros talleres empezó a utilizar estas técnicas simples con sus hijos, dice: "Se trata de usar el cerebro para saber lo que quieres y de ser un poco más creativo para conseguirlo". Exactamente.

La forma más rápida de cambiar el estado de alguien a un estado positivo es preguntarle qué siente en ese estado positivo.

Esta pregunta funciona porque para responderla primero se debe ingresar a ese estado. Pruébalo tú mismo.

¿Cómo es cuando te tienes confianza?
¿Cómo es cuando eres feliz?
¿Cómo es cuando estás...?
¿Verdad que no puedes dejar de sentir la emoción?

Así que cuando quieras que tu hijo experimente un estado particular, hazle esa pregunta.

Una palabra de advertencia. Hemos encontrado que esta pregunta funciona con más eficacia que otras formuladas de modo semejante como: "¿Qué sientes cuando te tienes confianza?" Los chicos no funcionan así; entonces limítate a preguntar: ¿Cómo es cuando estás...?

2 ¡MIRA HACIA ARRIBA!

Observa la fisiología de tu hijo cuando está de mal humor o en otro estado negativo. Es muy probable que mire hacia abajo (recuerda las tablas de visión) con el fin de mantener el estado, incluso si no es consciente de él. Puede ser que hable consigo mismo, lo cual involucra también el movimiento de los ojos hacia abajo. A la vez puede verse caído de hombros y con un aspecto general de derrota.

Historia de Robert

Robert es muy bueno para exagerar su mal humor camino de la escuela.

Sabiendo lo que sabes, puedes muy bien adivinar que mira hacia abajo mientras dice a su madre: "De veras no quiero ir a la escuela, mamá. Odio la escuela". A medida que su madre se da cuenta de que hay un poco de actuación, puede moverse rápidamente a una situación futura y propiciar un estado emocional útil para que Robert vaya a la escuela. Así que le pide que mire hacia el cielo.

Esto, por sí mismo, destruirá su mal humor, pero no podrá mantenerlo mucho tiempo sin mirar hacia abajo por lo que hace algo más.

Cuando él mira el cielo, su madre empieza a pedirle que cree imágenes de cosas que sabe que él contempla en su futuro inmediato. "Robert, ¿puedes imaginarte jugando con tus amigos durante el recreo?". "Claro que sí", dice Robert, e inmediatamente adopta una actitud positiva y acelera el paso hacia la escuela.

Recordemos al adolescente Sam. Era muy bueno para ponerse de mal humor e incluso lograba describir cómo lo hacía. "Pienso en alguien que no me gusta, hablo conmigo mismo acerca de esa persona y miro la acera". Después de comprobar que Sam quería tener una experiencia diferente, su padre le sugirió que contemplara el cielo mientras caminaba. Sam estaba realmente fascinado por lo diferente que se sentía.

3 AYÚDALES A CREAR NUEVOS PENSAMIENTOS

En el ejemplo de Robert, la madre no sólo consiguió que mirara hacia arriba para cambiar su estado, también le pidió que creara nuevos pensamientos.

Crear una nueva representación interna puede ser tan simple como pedirle a tu hijo que piense en una actividad que lo divierta.

A menudo pido a los niños que se formen una imagen de sí mismos pasándola bien durante el aprendizaje, o que creen una imagen de sí mismos concentrados, escuchando bien, aprendiendo con facilidad. Lo hacen de manera rápida y sencilla, les toma unos segundos y eso marca su enfoque para todo el día. No sólo es probable que se comporten como lo ensayaron mentalmente, sino que eso elevará su confianza ante el aprendizaje. Este breve ejercicio logra muchas cosas, y también significa que los niños reciben constantemente el mensaje de que el aprendizaje ocurre de manera fácil y natural.

4 CONTAR CUENTOS, FANTASÍA GUIADA, METÁFORA Y MEDITACIONES

Contar cuentos es una excelente manera de despertar emociones en los demás.

Las historias van directamente a la parte más poderosa de nuestra mente, el inconsciente. Además de utilizar las historias para originar estados, podemos usarlas para muchas otras cosas. Mientras prestamos atención consciente a la historia, nuestra mente inconsciente realiza conexiones y encuentra significados en un nivel más profundo.

Así, las historias son una manera fabulosa de ayudar a los niños a aprender y de proporcionarles mensajes positivos sobre sí mismos.

Historia de Stephen

Stephen es director adjunto en una escuela secundaria para muchachos con dificultades emocionales y de comportamiento. En la escuela hay una gran cantidad de jóvenes que muestran comportamiento agresivo, se enredan en peleas con facilidad y también dirigen su ira contra sí mismos. Stephen es un hombre dedicado a su trabajo y tiene esas creencias sobre el aprendizaje que he subrayado al principio de este capítulo y que le ayudan a ser un gran maestro, buscando siempre la manera de mejorar sus habilidades y por lo tanto mejorar la experiencia de los chicos a quienes enseña.

Vino a estudiar con nosotros buscando nuevos enfoques que le ayudaran a educar a los jóvenes a su cuidado. Después del primer módulo de la formación durante el cual dedicamos buen tiempo al concepto "el estado emocional afecta el comportamiento", Stephen volvió a su escuela determinado a probar las cosas y decidió concentrarse en el estado. Después del primer día de su regreso, dejó un mensaje entusiasta en nuestro contestador.

Nos dijo que había empezado el día con una fantasía de relajación guiada. Había llevado a los muchachos en un viaje imaginario a una soleada isla tropical aireada por la brisa. Los hizo valerse de todos los sentidos; lo que podían ver (las palmeras, el cielo azul, mar de un color turquesa brillante, oír el susurro de los árboles bajo la brisa, el choque de las olas en la orilla) y sentir (la caricia del sol en la piel, la arena entre los dedos de los pies). Los muchachos respondieron positivamente, todos ellos alcanzaron un profundo estado relajado y se mantuvieron mucho más tranquilos de lo habitual durante lo que restaba del día. Uno de los chicos expresó su emoción por la experiencia. Dio las gracias a Stephen y enfatizó que nunca en su vida se había sentido tan relajado.

5 LA MÚSICA

La reproducción de música vivaz por la mañana es de gran ayuda para conseguir que todos se sientan vigorosos y listos para enfrentar el día; alternativamente, puede usarse música tranquila para calmar a los que amanecen excitados.

6 LOS JUEGOS Y EL MOVIMIENTO FÍSICO

Desde hace mucho tiempo se sabe que el aprendizaje es un proceso activo y aprendemos con mayor eficacia si todo nuestro cuerpo está involucrado. Para algunos niños esto es crucial. En el extremo, los niños que tienen una fuerte preferencia cinestésica (sentimientos y acción) para el aprendizaje, son a veces etiquetados como lentos en el aprendizaje o como personas perturbadoras debido a su necesidad de moverse.

Historia de Hugo

El teatro, los títeres o la pantomima, son un buen recurso cinestésico. Cuando Hugo, del cual hablaremos con más detalle, empezó a asistir a una nueva escuela, un día volvió a casa muy emocionado por haber escrito más que nadie en su grupo acerca de una historia que habían leído. Su madre quedó impresionada y encantada, pues en la escuela anterior le habían advertido que Hugo tenía serios problemas de comprensión. El grupo representó la historia y todos pudieron experimentar las emociones del joven protagonista. Así, Hugo fue capaz de relacionarse estrechamente con la historia, que cobró vida para él.

Como bien sabes, el estado y la fisiología están vinculados, por lo que si cambia tu fisiología, cambia tu estado. Estoy segura de que todos nosotros hemos pasado por una situación en la que sentimos la necesidad de dar un paseo que contribuya a hacernos percibir algo de forma diferente. ¿Con qué frecuencia nuestras mejores ideas aparecen cuando estamos en la ducha o en la tina y nos hallamos verdaderamente relajados? Mis mejores ideas vienen cuando estoy en la caminadora en el gimnasio. Llego a un estado como de trance y las ideas parecen venir de ninguna parte. No es así: vienen de mi inconsciente.

La actividad física es una buena manera de entrar en un estado útil para aprender, en especial si tienes un hijo con una preferencia cinestésica fuerte.

Las camas elásticas son particularmente buenas, porque al rebotar se utilizan muchos grupos de músculos, son rítmicas y estimulan la conexión entre la mente y el cuerpo. Si tienes una cama elástica, puedes combinar todo tipo de actividades físicas y mentales con muy buenos resultados. Intenta trabajar semanalmente la ortografía o practicar las tablas con tu hijo mientras saltan o caminan.

Historia de Nancy

Una maestra disléxica que conocemos, Nicola, logró importantes cambios con una alumna de doce años trabajando su estado emocional. Durante la primera lección se dio cuenta, cuando le pidió a Nancy que le leyera, que el estado de Nancy cambió. Nicola prestó atención a su fisiología: Nancy encogía los hombros, mantenía los músculos tensos, respiraba superficialmente y su piel enrojecía. En tal estado, el intento de Nancy no tuvo gran éxito. En vez de ignorar el estado, Nicola decidió trabajar en el cambio de estado y no en las habilidades de lectura de Nancy. Le pidió a Nancy que se detuviera y le preguntó qué ocurría cuando le pedía que leyera. Nancy le contestó que inmediatamente se sentía tensa y llena de pánico.

En el marco inteligente, ese estado de pánico es "El Presente". Nicola sabía que necesitaba poner a Nancy en un estado que le sería útil en el futuro. Y decidió que ayudaría verdaderamente a Nancy si lograba hacerla sentir relajada y segura.

Nicola le preguntó a Nancy "¿Cómo es cuando estás relajada?". Y continuó haciéndole preguntas como: "¿Cómo lo sabes? ¿Dónde lo sientes? ¿Qué estás pensando?", y se mantuvo alerta ante cualquier cambio en su fisiología. Cuando se dio cuenta de que Nancy se había relajado, hizo lo mismo con la "confianza". Nicola se aseguró de que Nancy estuviese consciente de las imágenes internas que formaba, para así ayudarla a sentirse de esa manera y entonces sugerirle que pensara en eso cuando quisiera entrar en ese estado.

Cuando Nancy se halló en un estado positivo, Nicola le pidió que le leyera de nuevo.

Nancy no podía creer la transformación de su habilidad para leer: veía las palabras con mayor claridad en la página y escuchaba su voz nítida.

El trabajo en el estado de Nancy tuvo un efecto de bola de nieve. Leerle con fluidez a Nicola ayudó a Nancy a sentirse segura, y la confianza le permitió leer con mayor fluidez. Pronto sorprendió a la maestra al aceptar leer en voz alta en clase.

Si Nicola no hubiese sabido de la importancia del estado emocional y el comportamiento, no les habría prestado tanta atención. En su opinión, habría demorado mucho más para avanzar con Nancy.

Thomas y sus tareas

Cuando Thomas empezó a ir a la escuela, se opuso a la lectura extra al final de un día agotador. Francamente no lo culpo. Me parece un exceso pedir un niño de cuatro años que haga tarea, aunque sólo sea durante cinco minutos. Empecé a preocuparme cuando Thomas entraba en un estado de ánimo negativo si se le sugería leer, pues comenzaba a asociar la lectura con el mal humor. Entendí que si permitía que esa asociación continuara, afectaría su motivación y su habilidad para leer durante el resto de su vida.

La lectura se le había ido convirtiendo en una experiencia difícil y siempre negativa. Cada vez que le decía: "Vamos a leer un poco", sus hombros se desplomaban y se ponía de mal humor.

Lo que debía yo hacer era asegurarme de que entrara en un estado de ánimo positivo cuando lo invitara a leer. Así que decidí actuar la historia mientras la leía. Se trataba de un extraterrestre que perdía sus calcetines, cosa que causaba hilaridad, y Hannah y yo pusimos nuestro mejor esfuerzo en la actuación. A Thomas esto le pareció divertido, así que lo hicimos otra vez la tarde siguiente y una más. La tercera tarde Thomas se puso a leer antes de que se lo pidiera. Después ya no hubo necesidad de actuar, por suerte.

La lectura de Thomas mejoró rápidamente porque al comenzar se hallaba en un estado positivo de aprendizaje, en vez de estar en un estado que bloqueaba el aprendizaje y la mejoría.

Traten de leer una novela cuando se sientan de un humor terrible. Es muy difícil concentrarse y entender lo que se lee.

Un poco sobre el estado y la memoria

Los psicólogos saben que la información aprendida en un estado particular será recordada y usada de manera más eficaz hallándose en el mismo estado. Si te sientes en la cima del mundo, esa sensación activará el recuerdo de muchas otras ocasiones en que te sentiste de esa manera. Lo mismo ocurre con cualquier otra emoción: tristeza, alegría, comprensión, confusión, confianza y más.

Por lo tanto, es más útil aprender algo en un estado que te permita recuperar lo aprendido. Los estudiantes que se preparan en condiciones de prueba, se desempeñan mejor en los exámenes que quienes no lo hacen.

Crear la atmósfera de un examen o prueba, sea para el ballet, la música, la ortografía o cualquier otra cosa, ofrece a nuestros niños la mejor oportunidad para un buen desempeño en la prueba.

Aprendemos a manejar un coche manejándolo, no porque se nos diga cómo manejar. Cuanto antes podamos poner a prueba nuevas habilidades en situaciones en que las necesitemos, mejor.

Consejos inteligentes

Propicia en tus hijos estados positivos para el aprendizaje:

- Mediante preguntas
- Que miren hacia arriba cuando se sientan abajo
- Ayudándoles a crear imágenes positivas en la mente
- Contándoles historias con mensajes positivos
- Con música vivaz o tranquila
- Propiciando que jueguen de camino a la escuela
- Usando el lenguaje positivo del Capítulo 6 para sugerirles un día entretenido.

Ayuda a tu hijo a hacer conexiones para facilitar el aprendizaje

¿Qué significa hacer una conexión? Significa comprender. Es nuestra capacidad para extraer el significado de algo. La nueva información tiene que relacionarse y unirse con la información que ya tenemos para que podamos darle sentido.

Los niños que son buenos para la lectura de comprensión, consultan de manera permanente su diccionario interno y realizan las conexiones entre el diccionario y el texto.

Cuando los niños muy pequeños aprenden a leer, han leído libros que tienen una alta proporción de imágenes que acompañan a las palabras. Esto ayuda a la conexión; es decir, la palabra "auto" va con la imagen de un auto. A medida que los lectores se hacen más competentes, la cantidad de imágenes en los libros disminuye y tienen que formar imágenes internas para entender la historia.

Es mucho más fácil escuchar un cuento e imaginarlo, que imaginarlo cuando lo lee uno mismo. Hay un paso adicional cuando leemos. Tenemos que concentrarnos en leer la palabra y a la vez darle sentido. Estoy trabajando con un adulto para quien la lectura de novelas se dificulta por esta razón. Se ejercita leyendo una frase, deteniéndose y preguntándose: "¿Cómo sé lo que esto significa?". En la práctica hace representaciones internas completas después de cada frase y así se conecta con la historia.

¿Cómo podemos ayudar a nuestros hijos a hacer la conexión?

Como en todo lo demás, el primer paso para ayudar a alguien consiste en ayudarle a tomar conciencia de sus procesos internos. Y con el fin de ayudarle tomar conciencia, necesitas interesarte de verdad en la forma en que tu hijo hace lo que hace.

He aquí una conversación que tuve con una niña ligeramente disléxica a quien ayudaba con la comprensión.

Yo: ¿Cómo sabes lo que significa la palabra "mesa"?

Jimena: Es de color café.

Como la pequeña alzaba la mirada pude darme cuenta de que buscaba una imagen en su mente. También supe que buscaba una imagen visual porque dijo que era café. Me dije que un color determinado presupone una representación visual.

Yo: ¿Cuál es la diferencia entre una mesa vieja y una mesa nueva?

Jimena: La vieja está un poco raspada y la nueva es inteligente.

Una vez más, Jimena me estaba dando una cualidad visual.

Yo: Así que sabes lo que significan esas palabras porque tienes una imagen de ellas en la cabeza.

Jimena (un tanto extrañada): Sí, eso creo.

Ahora Jimena estaba consciente de sus procesos internos para la comprensión.

También le pregunté acerca de palabras abstractas e inventamos frases tontas para que las recordara.

Pasamos luego a la ortografía necesaria en la escuela. Para cada palabra hicimos una estrategia ortográfica visual y le añadimos el significado, creando deliberadamente una imagen mental o una frase que iría con la palabra. Para cada palabra hicimos lo siguiente:

Escribimos la palabra en un pedazo de papel de un color elegido por la niña.

Yo: ¿De qué color sería la palabra "derecha"?

Jimena: Color de rosa.

Escribimos la palabra en un trozo de papel color de rosa.

Yo: ¿Cómo sabes qué significa "derecha"?

Jimena: No lo sé.

Yo: Yo me imagino una gran garrapata con la palabra "derecha" al lado.

Jimena: Oh, yo pensé en mí con una flecha en la cabeza apuntando a la derecha.

Yo: ¡Genial! También es bueno.

Así, para cada palabra hicimos un dibujo, un símbolo o una frase contextual para concretar el significado.

Jimena estaba aprendiendo a hacer esto ella sola cada vez que tenía una nueva lista de palabras. También se dio cuenta de que sería una buena idea detenerse y pensar en las palabras cuando leía. Esto le concedió tiempo para encontrar su referencia interna, en vez de centrarse tanto en la palabra y perder la comprensión.

Jimena y yo pasamos más de una hora juntas aprendiendo estas dos estrategias: cómo recordar la ortografía y cómo recordar el significado. Su madre me dijo que la confianza de la niña ha mejorado tremendamente. Pasa una cuarta parte de su tiempo aprendiendo ortografía y en general escribe correctamente las palabras. Ha elegido leer con más frecuencia y eso le ha permitido una gran mejora en su capacidad de lectura. También me dijo que Jimena se ofreció para leer en voz alta, lo cual es un gran paso.

Historia de Hugo

Hugo dejó la escuela al final del tercer año (tenía siete años), cuando se mudaron a otro sitio del país. Al cruzar la puerta de la escuela por última vez, el profesor se acercó a su madre y le dijo en voz baja: "Aquí están sus últimos exámenes. Me temo que Hugo tiene un serio problema de comprensión que debe mencionar en su nueva escuela". La madre de Hugo se quedó sin habla: no tenía ni la menor idea y no le gustó oírlo por primera vez de esa manera. Me dijo que a Hugo no le gustaba la lectura, pero no sabía que tuviera un problema.

Mientras estábamos en su casa le dije a Hugo: "Oye, Hugo, ¿cuando lees formas imágenes en tu cabeza a medida que avanzas, para que sepas qué está pasando?". Hugo me miró pensativo, asintió con la cabeza y corrió a buscar a sus amigos.

Cuando volví a ver a Hugo, su madre me dijo que en la nueva escuela no había hallado prueba de algún problema de comprensión.

—¡Guau, Hugo, eso es fantástico!

—Bueno, Emma, usted me enseñó a comprender la última vez que estuvo aquí.

—¿Lo hice? —exclamé.

—Sí, lo recuerdo. Me dijo que formara imágenes cuando leyera.

Imagínese mi sorpresa. Le bastó una sugerencia para cambiar la forma de entender lo que estaba leyendo.

Consejos inteligentes para realizar las conexiones

Consejos inteligentes

- Ayuda a tu hijo enterándote de lo que ya sabe y le interesa y relaciona eso con el nuevo aprendizaje. Hay que presentar la información de una manera divertida.
- Ayuda a tu hijo a entender las palabras y su significado alentándolo a crear imágenes mentales. Si es necesario, haz dibujos que expliquen el significado.
- Pregúntale: "¿Cómo sabes lo que eso significa?", para ayudarle a tomar conciencia de su diccionario interno.

Ortografía inteligente

Gracias a la obra de Robert Dilts[1], sabemos que las personas con muy buena ortografía (ortografía inglesa: *spelling*) tienen la misma forma de saber cómo se escribe una palabra. Dilts entrevistó a los mejores en ortografía y se dio cuenta de que todos ellos hacen dos cosas:

- Visualizan un recuerdo de la palabra con el ojo de su mente
- Tienen una sensación de familiaridad si la palabra se ve bien

Inténtalo. Elige una palabra cualquiera y verifica cómo es que sabes escribirla. Si tienes buena ortografía te darás cuenta de que ves la palabra en el ojo de tu mente, pro-

[1] Autor de *The Spelling Strategy.*

bablemente por encima de la línea de los ojos. Si no eres consciente de esto, trata de escribir la palabra al revés y serás más consciente de su aparición.

Si eres un corrector ortográfico menos bueno, observa cómo intentas encontrar la palabra para saber cómo se escribe. ¿Basándote quizás en su sonido?

La estrategia ortográfica visual se puede enseñar a casi cualquier persona: todos somos capaces de visualizar.

Existen investigaciones que sistemáticamente muestran que esta estrategia es más eficaz que cualquier otra para enseñar a los niños.

Afortunadamente, más y más escuelas de avanzada enseñan la ortografía de esta manera.

Tras explicar la estrategia ortográfica visual a un grupo de adultos en uno de nuestros talleres, uno de ellos refirió:

—¡Oh!, por eso recordé mejor unas palabras que otras. Mi abuela etiquetaba las piezas del mobiliario para ayudarnos a recordar su nombre y cómo se escribía la palabra. Siempre me pregunté por qué recordaba los nombres que estaban por encima de la línea de mis ojos mejor que los demás. Ahora lo sé.

A continuación describo cómo enseñar la estrategia ortográfica a tu hijo.

En primer lugar hablaré un poco más acerca de los movimientos oculares y por qué y cuándo es útil prestarles atención.

Los movimientos oculares desbloquean nuestros pensamientos. El movimiento de nuestros ojos envía un impulso eléctrico al cerebro para acceder a cierto tipo de información sensorial.

- Si tu hijo piensa en imágenes, mirará hacia arriba o hacia el frente (como si buscara en la distancia media) para verlas.
- Si piensa en sonidos, describiendo quizá una conversación que tuvo o una canción que oyó, su mirada se alineará con sus oídos, mirando a la derecha o a la izquierda.

- Si se concentra en los sentimientos o habla consigo mismo, mirará hacia abajo.

Con todo, si quieres ayudar a tus hijos a deletrear eficazmente, necesitas más información específica sobre los movimientos de los ojos.

Aquí tenemos un diagrama de los movimientos oculares de alguien, tal como los observarías. En la mayoría de la gente los movimientos del ojo se organizan de esta manera, aunque en una minoría se organizan como una imagen espejo de este diagrama, cosa que es importante comprobar. Si tu hijo es zurdo, pueden organizarse en el sentido contrario. Además, he descubierto que los movimientos oculares de los niños no parecen fincarse en patrones regulares sino hasta cerca de los siete años.

Diagrama de los Movimientos Oculares

Imaginación Visual

Memoria Visual

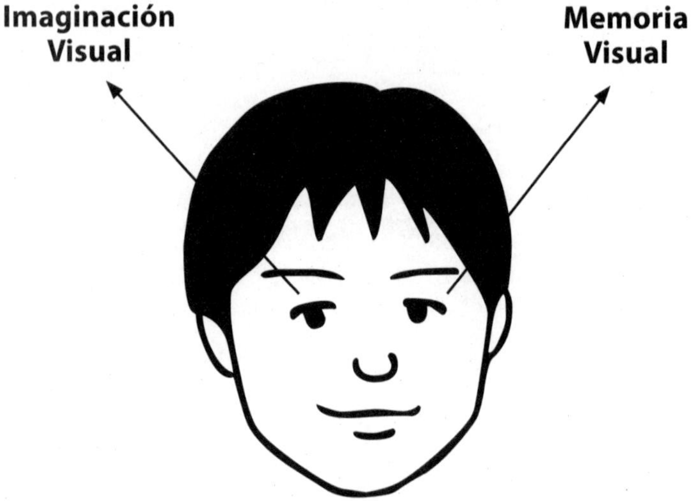

Necesitas saber qué lado del campo visual es el de la memoria.

Juego del movimiento de los ojos

Las respuestas no son importantes, sólo los movimientos oculares.

Memoria Visual

¿De qué color es tu juguete favorito?

¿Cuál fue la prenda de ropa más brillante que usaste recientemente?

¿Cuántos botones tiene tu Game Boy (el televisor, el PlayStation)?

¿Por qué te gusta tu habitación? (Pregunta cosas específicas sobre el cuarto.)

Imaginación Visual

Imagina un elefante rosa con rayas amarillas

¿Cómo se vería un helado violeta, cubierto con salsa de tomate?

¿Qué aspecto tendría tu mamá con las puntas del pelo verdes?

Ortografía fácil – La estrategia de la ortografía

1. Usa las listas de palabras semanales de tus hijos.
2. Averigua hacia dónde ven cuando acceden a la memoria visual. Utiliza el juego de movimientos oculares para ayudarte. La mayoría de los chicos verán hacia arriba y a la izquierda.
3. Explícales que es más fácil recordar las imágenes cuando sus ojos apuntan en esa dirección (con la cabeza mirando al frente).
4. Pídeles que piensen en algo conocido y seguro. Es muy importante que se encuentren en estado positivo, de

modo que cuando les muestres la primera palabra automáticamente la asocien con "conocimiento", en vez de cualquier otro estado negativo al que pueda estar asociado el aprendizaje ortográfico.

5. Escribe la primera palabra en un trozo de papel de un color elegido por el niño. Es más fácil y más divertido recordar las cosas en color.
6. Mantén la palabra delante de ellos, en su memoria visual.
7. Coloca el pedazo de papel boca abajo y reemplázalo con una hoja de papel en blanco colocada ante su campo de la memoria visual. Pregúntales si todavía pueden ver la palabra en el papel.
8. Si la respuesta es "sí", desecha el papel en blanco y pregunta si aún pueden "ver" la palabra en su mente. Si la respuesta es "no", vuelve al punto 5.
9. Pídeles que deletreen la palabra al revés. Pueden decírtela o escribirla. Si la escriben, asegúrate de que lo hagan de derecha a izquierda para que la palabra esté escrita correctamente cuando terminen. No queremos que los niños sólo puedan deletrear al revés.

   Esto tiene como propósito que puedas comprobar que realmente ven la palabra. Si no pueden verla, no serán capaces de deletrearla. (Es casi imposible hacer el sonido de una palabra hacia atrás.)
10. Si lo hacen correctamente pídeles que deletreen la palabra hacia adelante.
11. Explica a tu hijo que cuando quiera recordar la palabra, simplemente mire hacia arriba y a la izquierda (o hacia donde esté su memoria visual) y vea la palabra. Si no puede recordar cómo se deletrea una palabra, basta con mirar hacia arriba y esperar que aparezca.

(Adaptación autorizada por Robert Dilts)

NOTA: para los niños más pequeños es muy útil que se durante las pruebas de ortografía se les recuerde que deberán mirar hacia arriba para encontrar la ortografía correcta de la palabra.

Experimenta con tu hijo. Déjate llevar por el instinto y, si esto no le parece fácil, sugiérele hacer la palabra más colorida, más grande o más pequeña, o cortar la palabra en trozos si es muy larga. Pídeles que te guíen en lo que les ayuda. Construye sobre el éxito.

Los niños son asombrosos. Le pregunté a una niña si podía ver la palabra en su cabeza y deletrearla al revés. Dijo que podía verla, pero estaba muy lejos para leerla. Le pedí que acercara la palabra e inmediatamente dijo: "Así está mejor, ahora sí puedo leerla". ¡Y la escribió correctamente!

He visto a ciertas madres aflojar la mandíbula cuando su hijo o su hija deletrean de derecha a izquierda (y luego en sentido contrario) una palabra que veinte minutos antes no sabían deletrear. He oído historias de niños diagnosticados con dislexia severa cuyas vidas han cambiado gracias a esta sencilla técnica de visualizar las palabras.

La estrategia ortográfica es un pequeño pero significativo ejemplo de cómo entender los procesos internos y enseñar otros más efectivos pueden abrir nuevas posibilidades.

Historia de Noami

Noami es una niña de trece años que había sido etiquetada como severamente disléxica y era muy insegura. Se sabía capaz de luchar y estaba desesperada por tener la oportunidad de colocarse en el grupo A del plan de estudios de inglés de secundaria.

La nueva maestra especializada en disléxicos le enseñó la estrategia ortográfica y en sólo media hora fue capaz de deletrear palabras complejas al derecho y al revés.

La maestra me dijo que Noami se vio tan agitada por su mejoría, que casi alcanzó el límite máximo de emoción. Al final de la lección las dos derramaron lágrimas (de alegría) por algo que verdaderamente cambió la vida de Noami.

Consejos inteligentes para conversaciones constructivas

Utiliza todo lo que has leído sobre el tema en cualquier conversación.

Por ejemplo, en una reunión de padres y maestros puedes:

- Utilizar el marco inteligente para pensar en lo que esperas de esa conversación
- Hacer preguntas para aclarar significados y evitar conjeturas
- Utilizar un lenguaje positivo
- Averiguar cómo apoyar el aprendizaje de tu hijo en casa

Resumen

- El aprendizaje es un proceso activo. Cuanto más se nos pida pensar en lo que estamos aprendiendo y practicarlo, más efectivo será nuestro aprendizaje.
- El aprendizaje sólo tendrá lugar si la nueva información o la habilidad que se requiere puede conectarse con algo que el aprendiz ya conoce y entiende. Si esto no puede conectarse, el aprendizaje no se llevará a cabo.
- Los niños necesitan hallarse en un estado positivo para aprender de forma efectiva. La ansiedad inhibe el aprendizaje.
- Si muestras una actitud positiva ante todas las preguntas, animarás a tu hijo a formular preguntas. Ayúdale a admitir que todas las preguntas son útiles.
- Interésate en las estrategias de aprendizaje de tus hijos, a fin de que se hagan conscientes de los procesos inconscientes.
- Comparte con la escuela de tu hijo, de una manera positiva y solidaria, los éxitos obtenidos en casa.

- Busca oportunidades de aprendizaje en las actividades cotidianas.
- Relaciona siempre el aprendizaje con la vida real. ¿Cuál es la utilidad de saber tal cosa o poseer tal habilidad?

CAPÍTULO 8

Historias de éxito

Sabemos que si vamos a ayudar a nuestros hijos a pensar de manera diferente, necesitamos entender cómo piensan y qué quieren.

Si no dedicamos tiempo a descubrir cómo crea nuestro hijo los problemas en su mente, no estaremos sino tratando de adivinar cómo ayudarlo.

Si no dedicamos tiempo a averiguar qué quiere, sólo podremos aventurar soluciones. Todavía me sorprende la facilidad con que se dan los cambios. Cuanto más tiempo y esfuerzo destinamos a encontrar la idea subyacente en el problema, más rápido se llevará a cabo el cambio.

Cuanto más tiempo y esfuerzo destinamos a encontrar la idea subyacente en el problema, más rápido se llevará a cabo el cambio.

Las historias contadas en este capítulo muestran cómo podemos aplicar el marco inteligente para guiar nuestro pensamiento en toda clase de circunstancias.

Pam, Lucy y Luke

Volvamos a Pam, de quien hablé en la página 41. Pam se sentía muy frustrada porque su hija de nueve años, Lucy, se vestía con gran lentitud en las mañanas y a Pam le preocupaba pensar que llegarían tarde a la escuela. Luego de darse cuenta de lo que disparaba su frustración, logró concentrarse en lo que deseaba que sucediera cada mañana, a fin de realizar los cambios. He aquí la historia en sus propias palabras.

"En la casa las mañanas eran una pesadilla. Yo solía gritarles todo el tiempo a mis hijos y por lo menos veinticinco veces les decía que hicieran las cosas que había que hacer, dientes, cabello, uniformes... No hace falta decir que esto era muy fatigante y nos dejaba a mí y a los niños estresados y no podíamos comenzar el día como yo lo deseaba. Decidí echar un vistazo a la manera en que funcionaban las cosas en la casa y me di cuenta de que eran mis reacciones a la relajada actividad de Lucy lo que causaba el problema. Esto es, mi necesidad de tener el control.

"Me pregunté qué pasaría si les dijera lo que necesitaba que ocurriera en las mañanas y en qué momento, y dejaría que ellos decidieran cómo hacerlo.

"Nos sentamos y coincidimos en que las mañanas no eran buenas y las cosas tenían que cambiar. Les pregunté si les interesaba probar una nueva manera.

"Los dos estuvieron de acuerdo y les di una lista de las cosas que había que hacer por la mañana y cuándo debían hacerse. Les dije que confiaría en ellos y no me preocuparía por recordarles las cosas. Acordamos salir de la casa a las 8:30 con lo que tuvieran puesto.

"Comenzamos el nuevo sistema la mañana siguiente. Luke, mi hijo de seis años, estaba listo a las 8:00 y tuvo tiempo de dibujar algo y platicar un poco sobre la escuela. Me sentía satisfecha, pues las cosas parecían funcionar.

"Sin embargo dieron las 8:20 y, como Lucy aún no estaba vestida, tuve que morderme la lengua. Fue muy duro para mí no interferir ni decirle que se diera prisa (fue casi tan estresante como gritar), mientras empezaba a pensar que tendría que irse a la escuela en pijama. Luego sucedió un pequeño milagro: Lucy desapareció escaleras arriba y bajó, lista para partir, a las 8:30.

"Me sentí orgullosa de ellos y se los dije. Era una forma mucho mejor de empezar el día y todavía lo es. Sigo sin entender por qué Lucy tiene que trabajar bajo presión y por qué le gusta dejar las cosas para el último minuto, pero ahora sé que no importa. No necesito tener el control de la forma en que trabaja: Lucy hace las cosas a su manera y yo las hago a la mía. La casa es mucho más armoniosa ahora que lo veo así (al menos, la mayor parte del tiempo)".

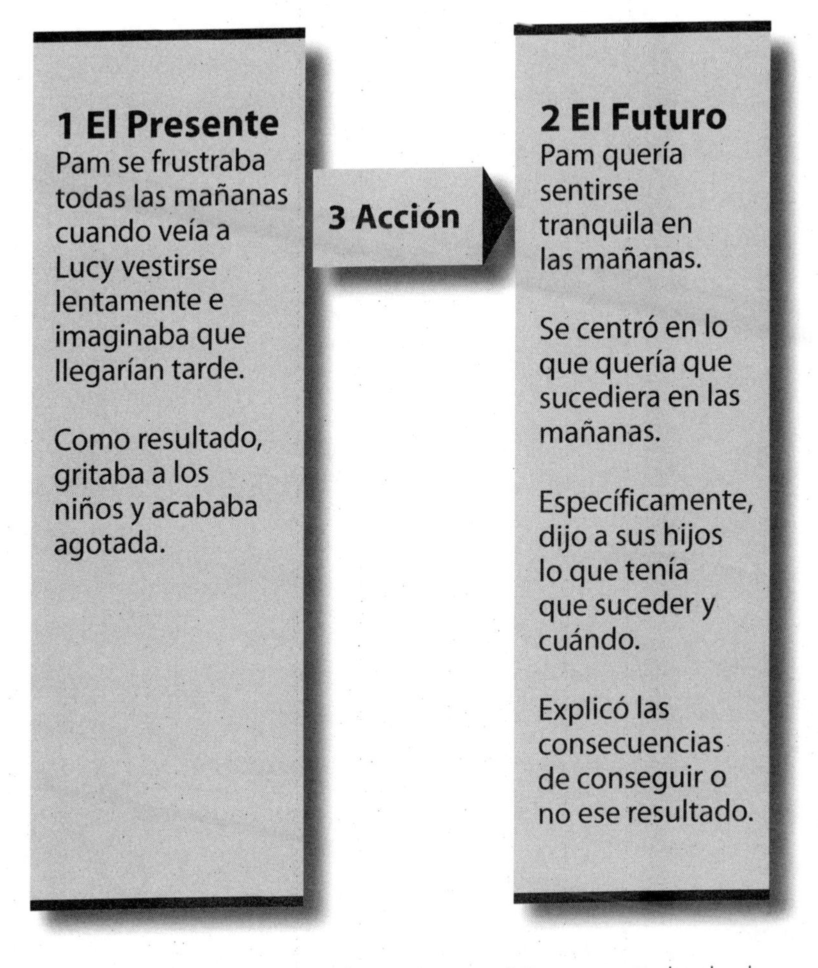

La clave fue que Pam planteó a sus hijos un resultado: lo que había que hacer y cuándo había que hacerlo. Luego permitió a los niños encontrar la manera de lograrlo por su cuenta.

Historia de Ben y Toby

Toby y Ben, de ocho años, son viejos amigos y juegan juntos con regularidad. Tienen una relación un poco de amor-odio. Juegan muy bien juntos hasta que uno decide que quiere hacer algo distinto de lo que han estado haciendo. Ben dice que quiere jugar con el Lego y Toby quiere seguir jugando el juego de Star Wars que han inventado. Ben se va a sacar el Lego y deja a Toby a la mitad de un juego que no puede seguir jugando.

Toby reacciona y le da un puñetazo a Ben. Ben devuelve el golpe y se enzarzan en una pelea.

La madre, Lisa, acude y les dice que jueguen tranquilos y así lo hacen hasta el siguiente desacuerdo.

Los niños no aprenden nada de la intervención de Lisa y su comportamiento no cambia.

Se trata de una buena oportunidad de utilizar el marco inteligente para ayudar a los niños, sobre todo a Toby, a pensar en sus acciones y a desarrollar más opciones de comportamiento.

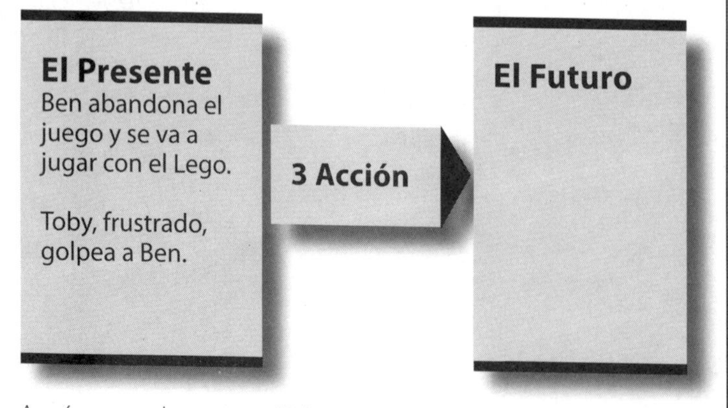

Aquí se puede ver que Toby no ha hecho la conexión entre lo que quiere que ocurra y la manera de conseguirlo. Sabemos lo que quiere: quiere que Ben siga jugando con él.

Preguntarle sobre lo que quiere que ocurra como consecuencia de su comportamiento es una herramienta mucho más poderosa para el cambio que asumir que ha hecho una conexión y se ha comportado mal.

Así que Lisa le pregunta: ¿Qué quieres que haga Ben?

Toby responde: Quiero que siga jugando conmigo.

ACCIÓN

Ahora podemos ayudar a Toby a hacer la conexión entre su acción y su intención o el resultado deseado.

Lisa: ¿Crees que pegarle es una buena manera de conseguir que juegue contigo?

Aquí, el punto era hacerle darse cuenta del resultado de su comportamiento (que Ben se negara a jugar) frente a lo que deseaba.

Lisa le pidió sugerencias para persuadir a Ben de volver al juego. E incluyó a Ben, ¡quien le sugirió a Toby cómo persuadirlo!

¿Qué aprendieron los niños de este planteamiento? ¿Qué no aprendieron cuando sólo se les dijo que se portaran bien?

Aprendieron a pensar en las consecuencias de sus actos y aprendieron a pensar en lo que quieren ***antes*** de actuar.

Al preguntarle a Toby qué quería que sucediera, Lisa logró relacionar su conducta con el resultado.

Historia de William

Era Semana Santa y nos hallábamos en uno de esos sitios de recreación que son el cielo para los niños de seis años. Tres niños, tres compañeros de escuela, jugaban juntos. En un momento dado en que su juego llegó a adquirir cierta violencia nos preguntábamos cuándo saldría lastimado uno de ellos o vendría a quejarse de los otros. Tenían grandes piezas de esponja y se golpeaban cerca de la cabeza. Era cuestión de tiempo.

Como era previsible, uno de los niños, William, vino a quejarse de que alguno de los otros lo había golpeado en el estómago y la espalda.

El instinto me empujaba a hablar con el agresor.

En cambio, me apegué al marco inteligente y le pregunté al agredido qué quería que hiciera. Lo pensó un minuto, sonrió, se encogió de hombros y dijo: "Nada". Y echó a correr.

Para William, ¿qué representó la diferencia entre seguir mi instinto o apegarme al marco inteligente? La diferencia esencial fue que, siguiendo el marco, William fue invitado a pensar en la razón que lo hizo venir a quejarse. Por su sonrisa y el encogimiento de hombros, me di cuenta de que recibió el mensaje. Me pregunto qué hará la próxima vez.

Historia de Natalie

Natalie aprendió lo del marco inteligente en un taller que dirigí en su empresa. Los mismos principios ofrecen tan buenos resultados en el trabajo como con los niños, cosa que Natalie descubrió por sí misma. Un día me llamó por teléfono para hablarme de una historia de éxito en su casa. Natalie tiene dos hijos, Constantin de trece años y Dimitri de nueve. En sus palabras, esta es la historia.

"La semana pasada mi hijo mayor volvió de la escuela muy enojado y se portó agresivo con su hermano. Dimitri, por una vez, era inocente, no había provocado a Constantin.

"En vez de castigar a Constantin por su conducta, decidí hacerle algunas preguntas. Así descubrí que el motivo del enojo era una mala nota que había obtenido en la escuela. Experimentando con las preguntas, le dije: "¿Por qué una mala nota te causó tanta molestia?"

"Repuso que tenía miedo del castigo que recibiría por la mala nota, pues esa mañana juró en falso que se había preparado para el examen.

"Por supuesto, no lo castigaría por obtener una mala nota, sino por afirmar algo que no era cierto. Y a mí me alegró aclarar el malentendido.

"Mi reacción habitual ante una mala nota hubiese sido un largo monólogo sobre lo cansada que estoy de decirle las mismas cosas en relación con el trabajo escolar, la importancia de conseguir un buen nivel en las clases con vistas al futuro y el hecho de que era más que capaz de sacar buenas notas cuando se concentraba en los libros de la escuela más que en el Game Boy. Repetir todo esto me hubiese puesto furiosa con él y lo habría enviado a su habitación sin escucharlo o siquiera darle la oportunidad de hablar.

"Sabía que necesitaba averiguar más, así que tranquilamente nos sentamos juntos. Le expliqué que estaba muy interesada en ayudarle y descubrir qué le impedía prepararse adecuadamente para los exámenes.

"Pasé por el proceso de hacer las preguntas utilizando sus palabras para "saltar de una respuesta a otra pregunta".

"Descubrí todo tipo de información valiosa: admitió que no se sentía cómodo con ese profesor en particular y no se sentía seguro en el estudio de esa materia en particular.

"Estuvimos de acuerdo en una conclusión: quería tener confianza en la comprensión de esa materia. Le pedí que pensara en las consecuencias de comprenderla y cómo sería. Pareció muy motivado por eso.

"Entonces planeamos cómo íbamos a lograrlo juntos. Qué ayuda requería de mí y qué debía hacer para mantener la concentración.

"Se sintió escuchado y respetado. Incluso renunció al uso del Game Boy como una forma de mantenerse concentrado en época de exámenes.

"Esa noche me pidió que fuera a su habitación para estudiar juntos.

"Todo esto se originó en unas cuantas preguntas que le hice cuando hostilizó a su hermano menor, en vez de criticarlo y enviarlo a su cuarto. Creo que hemos hecho verdaderos progresos".

¡Pero ya estás muy grande!

Hay momentos en que tu hijo se comporta TAN mal que, aparte de irte y dejarlo solo para que se calme, sientes que no tienes idea de qué puedes hacer.

He aquí cosas que he hecho y que tuvieron un efecto notable.

He pedido al "experto en berrinches" que escriba qué le sucedió, con las siguientes preguntas como encabezados.

¿Cuál fue mi mal comportamiento?
¿Qué sucedió después?
¿Qué deseaba?
¿Cuál sería una mejor manera de conseguir lo que deseaba?
¿Qué pasará si encuentro una manera mejor?
¿Qué cosa buena puedo hacer ahora?

El hecho de escribir acerca de su comportamiento le hizo reflexionar y aceptar plenamente que se había portado mal. Dispuso de tiempo para pensarlo con calma y para idear sin prisas algunas formas alternativas de comportamiento.

El éxito del examen de Alicia

Alicia, de doce años, iba a presentar un examen de saxofón. En general era muy relajada, pero esta vez el examen la tenía muy ansiosa. Su madre quiso hacerle cambiar ese estado y procuró que hiciera algo que pudiera hacer por última vez antes de entrar al examen. Se enteró de que lo que hacía a Alicia sintirse nerviosa (el detonador) era que estaba pensando en mirar el reloj cuando llegara su turno de entrar al salón del examen.

La mamá le preguntó a Alicia en qué sentido se quería sentir diferente. Alicia dijo que quería sentirse segura, y su madre le preguntó: "¿Cómo es cuando estás segura?"

La madre continuó preguntando "¿y cómo es cuando...?", cada vez que la niña respondía a la pregunta, y después de unas cuantas veces, Alicia se hallaba muy nerviosa y reía.

—Ahora mira el reloj.

inteligentemente, la madre de Alicia sugirió inmediatamente que cuando Alicia mirara el reloj se sentiría así.

En la mente de Alicia la relación entre el reloj y la ansiedad había cambiado.

Se preguntarán si Alicia estuvo nerviosa en su examen. No, no lo estuvo.

Lo qué sucedió en el examen fue que cuando Alicia miró el reloj, pensó en su madre y sonrió. Estuvo muy relajada.

Su madre la había preparado con éxito para que tuviera un estado diferente durante el examen.

Continúa la historia de Hugo

¿Recuerdas que Hugo tenía problemas de comprensión en su antigua escuela? Y cuando llegó a la nueva escuela no encontraron prueba alguna de problemas de comprensión.

La sugerencia de que creara imágenes mientras leía fue suficiente para cambiar su manera de entender lo que estaba leyendo.

A la mitad del segundo trimestre en la nueva escuela Hugo tuvo que presentar algunas pruebas. En casa dijo que sabía que lo había hecho muy mal.

Imagínate qué decepción cuando fue de los últimos en comprensión, después de haberlo hecho tan bien en clase.

Su maestra se impresionó mucho y dijo que no lograba imaginar qué había sucedido. Por supuesto que no. No se nos enseña a formular preguntas para averiguar por qué las estrategias no funcionan. Suponemos qué pasó y tratamos de arreglar lo que creemos que es el problema.

Así que la maestra habló con la madre de Hugo acerca de entrenarlo para pasar las pruebas y valerse de otros planes para resolver el problema.

Tuve una conversación con Hugo para saber qué había pasado.

Yo: ¿Qué pasó en la prueba de comprensión, Hugo?

Hugo: No lo sé.

Yo: ¿Creaste imágenes de la historia a medida que leías?

Hugo: No, no lo hice. Usted sabe que me gusta poner una gran cantidad de detalles en mis imágenes. Me gusta saber cómo es el escenario y cómo son las caras de los personajes.

¿Puedes adivinar hacia dónde va esto?

Hugo: La cosa es que no disponíamos de mucho tiempo para hacer la prueba, así que decidí no hacer imágenes para ahorrar tiempo.

¡Caramba! ¡Decidió no entender la historia para ahorrar tiempo!

Así que le expliqué que para él era del todo necesario crear imágenes, de modo que entendiera. Y si estaba en una prueba, tenía que poner menos detalles en esas imágenes.

La maestra ya no tuvo que poner en marcha otros planes. Hugo sabe lo que tiene que hacer.

Consejo inteligente
Puedes utilizar el marco inteligente en cualquier situación, con cualquier persona.

Y por último...

... una historia. No es mía, pero la aprecio mucho y de alguna manera cristaliza mi mensaje.

Hace muchos años había un barco de vapor que, después de navegar las rutas comerciales del mundo durante muchos años, había adquirido una reputación de fiabilidad.

En todos sus viajes jamás había tenido un problema mecánico. Sin embargo un día, cuando estaba a punto de salir del puerto, cargado y preparado para un viaje que lo llevaría a dar media vuelta al mundo, un problema de gravedad ocasionó que los motores fallaran y el capitán se vio obligado a cancelar el viaje y solicitar ayuda. Nadie a bordo lograba encontrar la causa del problema.

Residía en el puerto un ingeniero de edad avanzada, dueño de la reputación de ser capaz de resolver cualquier problema. El capitán envió por el ingeniero y poco después llegó el hombre con una pequeña bolsa de herramientas. "¿Cuál es el problema?", preguntó. El capitán explicó lo mejor que pudo y el ingeniero pidió que lo llevaran a la sala de máquinas.

Una vez allí realizó un examen minucioso de los motores. Escuchaba y observaba con gran atención y de vez en cuando pedía silencio para concentrarse mejor.

Después de una hora abrió su bolsa de herramientas y sacó un martillito. Se acercó a un grupo de tubos y dio un golpe seco en uno de ellos. Los motores volvieron a la vida.

El capitán estaba admirado.

—Gracias —dijo—, muchas gracias. Dígame cuánto le debemos y le pagaremos ahora mismo.

El ingeniero alzó la mirada.

—Son ciento una libras —dijo.

—¿Ciento una libras? —exclamó el capitán—. Ha estado aquí sólo una hora y no utilizó materiales ni sustituyó piezas. ¿Qué es lo que estoy pagando?"

—Una libra es por mi tiempo —dijo el ingeniero—, y cien libras son por saber dónde golpear.

Espero que este libro te haya dado muchas ideas para ayudarte a aprender dónde golpear en el caso de tu hijo. No me cabe duda de que, pensando de la manera que te he mostrado, puedes cambiar la forma de interactuar con tus hijos y adquirir nuevas experiencias con ellos. Y sé que vas a hacerlo. Esto cambiará la forma en que tus hijos experimenten contigo. Y en esas nuevas experiencias estarás sembrando las semillas para un futuro lleno de descubrimientos y asombro.